CARTAS A UM JOVEM TERAPEUTA

2ª edição
17ª reimpressão

CONTARDO CALLIGARIS

CARTAS A UM JOVEM TERAPEUTA

REFLEXÕES PARA PSICOTERAPEUTAS, ASPIRANTES E CURIOSOS

• EDIÇÃO REVISTA E AMPLIADA, COM NOVAS CARTAS •

PAIDÓS

Copyright © Contardo Calligaris, 2007, 2019
Copyright © Editora Planeta do Brasil, 2019
Todos os direitos reservados.

Preparação: Max Welcman
Revisão: Andressa Veronesi e Carmen T. S. Costa
Diagramação: Vivian Oliveira
Capa: Rafael Brum
Fotografia de capa: Bob Wolfenson

Dados Internacionais de Catalogação na Publicação (CIP)
Angélica Ilacqua CRB-8/7057

Calligaris, Contardo
Cartas a um jovem terapeuta: reflexões para psicoterapeutas, aspirantes e curiosos / Contardo Calligaris. – 2. ed. – São Paulo: Planeta, 2021.
216 p.

ISBN 978-65-5535-284-9

1. Calligaris, Contardo, 1948- 2. Psicanalistas 3. Psicanálise 4. Orientação profissional I. Título

20-0046 CDD 150.195

Índices para catálogo sistemático:
1. Psicanálistas: Orientação profissional

MISTO
Papel | Apoiando o manejo florestal responsável
FSC® C112738

Ao escolher este livro, você está apoiando o manejo responsável das florestas do mundo

2025
Todos os direitos desta edição reservados à
EDITORA PLANETA DO BRASIL LTDA.
Rua Bela Cintra, 986 – 4º andar – Consolação
01415-002 – São Paulo-SP
www.planetadelivros.com.br
faleconosco@editoraplaneta.com.br

APRESENTAÇÃO À NOVA EDIÇÃO

O terapeuta a quem estas cartas se dirigem é, obviamente, um psicoterapeuta, ou seja, um profissional que tenta aliviar as dores do viver à força de escuta e de diálogo, interrogando as motivações conscientes ou inconscientes dos sujeitos que lhe pedem ajuda.

Não deve estranhar que as cartas sejam escritas por um psicanalista. Embora alguns psicanalistas considerem a psicoterapia com arrogância, como uma espécie de aplicação utilitária de sua disciplina, a psicanálise continua sendo, antes de mais nada, uma forma de psicoterapia.

Um detalhe: as trocas que seguem aconteceram inicialmente com dois terapeutas, uma jovem e um jovem.

Ambos recebiam minhas cartas e reagiam, dando-me a chance de uma tréplica.

Mas as *Cartas a um jovem terapeuta*, desde que foram publicadas, foram objetos de e-mails: comentários e perguntas. A maioria solicitava esclarecimentos e complementos, dialogando com as cartas que já existiam. Alguns me pediam para tratar assuntos que eu não tinha abordado.

Quem me escreveu? Havia jovens que, na hora de escolher uma faculdade ou uma pós-graduação, eram tentados pela profissão de psicoterapeuta. Havia menos jovens que consideravam abandonar uma carreira em curso para se tornarem psicoterapeutas. Havia psicoterapeutas estabelecidos pensando no caminho que os levara até exercer sua profissão, e outros, lutando para se afirmar. E havia pacientes, mulheres, homens, jovens e idosos, perguntando-se quem são e o que fazem as estranhas figuras em quem eles confiam dia após dia, às vezes por anos.

(São Paulo, 2019)*

---

*Em 2008, três colegas por quem tenho a maior estima, Denise Coutinho, Octavio Souza e Eliana Calligaris, aceitaram ler o manuscrito e me comunicaram suas observações, críticas e comentários. Continuo agradecido.

DEDICATÓRIA

Este livro, escrito em São Paulo e Nova York entre junho e julho de 2004 e ampliado em São Paulo em 2018-2019, continua dedicado a todas e todos que, no decorrer dos últimos quarenta anos, depositaram sua confiança (e alguma esperança) em mim como terapeuta.

Mais particularmente, ele é dedicado àqueles que passaram pela experiência, ganharam certa vontade de morder a vida com mais gosto e, enfim, como acontece nos melhores casos, esqueceram que a experiência aconteceu, esqueceram meu nome e minha cara.

SUMÁRIO*

1. VOCAÇÃO PROFISSIONAL 11
2. QUATRO BILHETES 27
3. HÁ CONDIÇÕES PRÉVIAS? 39
4. QUANTO CUSTA? 49
5. O QUE DIZ A FAMÍLIA? 65
6. O PRIMEIRO PACIENTE 77
7. AMORES TERAPÊUTICOS 85
8. FORMAÇÃO 97
9. **AS LEITURAS** 109
10. CURAR OU NÃO CURAR 115
11. O QUE FAZER PARA TER MAIS PACIENTES? 131
12. QUESTÕES PRÁTICAS 153
13. CONFLITOS INÚTEIS 175
14. **A SEXUALIDADE PARA A PSICANÁLISE** 185
15. INFÂNCIA E ATUALIDADE, CAUSAS INTERNAS E CAUSAS EXTERNAS 193
16. QUE MAIS? 205

* Os títulos destacados são inéditos para esta edição

1. VOCAÇÃO PROFISSIONAL

Meu jovem amigo,

Imagino que você ainda não tenha decidido qual será sua profissão. Você estaria procurando neste livro alguma indicação para descobrir se quer mesmo se tornar psicoterapeuta. E estaria perguntando: antes de começar uma formação que vai durar no mínimo uma década e custar uma nota preta, será que há como saber se tenho o que é preciso para dar certo?

É uma ótima pergunta. Para ser um bom psicoterapeuta, é útil que a gente possua alguns traços de caráter ou de personalidade que, dito aqui entre nós, dificilmente podem ser adquiridos no decorrer da formação: melhor mesmo que eles estejam com você desde o começo.

Um exemplo, só para começar.

Meu pai era médico, internista e cardiologista, mas funcionava, para muitos de seus pacientes, como o médico da família. A cada ano, no Natal, na Páscoa e no dia de São José (ele se chamava Giuseppe), nossa casa se enchia de presentes. Mas enchia mesmo: a sala era abarrotada de caixas de vinhos e licores, panetones, doces, cestas de frutas exóticas, sem contar a prataria e os objetos variados de decoração, as canetas, as agendas e os conjuntos para escrivaninha. Nos dias que antecediam a festa, a campainha não parava de tocar. Nós, crianças, tínhamos a função e o privilégio de abrir os pacotes, reservando cuidadosamente os cartões que os acompanhavam, para que meu pai pudesse responder agradecendo.

Pois é, se eu tivesse escolhido a profissão de psicanalista e psicoterapeuta para receber a mesma variedade e fartura de presentes, minha vida teria sido um fracasso.

Você pode querer ser médico ou coisa que o valha porque considera essencial ser olhado com gratidão e respeito por seus pacientes e pelos outros em geral. Claro, todo mundo gosta disso, não é? Mas há sujeitos que precisam de muito mais, para quem é crucial ser constantemente objeto de uma veneração amorosa. Quer saber por quê? Pense, por exemplo, no olhar de uma mãe para um caçula que teria nascido depois da morte do pai. Desde seu primeiro vagido, esse filho seria, para a mãe, ao mesmo tempo uma compensação e um memorial do marido que ela perdeu; ele seria objeto de veneração e de eterna gratidão a Deus.

Escolho esse exemplo porque foi o caso, justamente, de meu pai: ele nasceu quatro meses depois da morte do pai (meu avô). Obviamente, não foi isso que fez dele um grande médico. Mas, na escolha de sua profissão, deve ter contado a necessidade de repetir a experiência inicial do olhar adorador de sua mãe. Essa necessidade também deve ter contado na sua capacidade de receber uma gratidão que não se resolvia no pagamento dos honorários e, portanto, se expressava naquelas verdadeiras orgias festivas de presentes.

Pois bem, se, por alguma razão (que não precisa ser a mesma do meu pai), é importante para você se alimentar no reconhecimento e no agradecimento infinitos dos outros, então não escolha a profissão de psicoterapeuta. Por duas razões.

Primeiro, na vida social, o psicoterapeuta não encontra nada parecido com a espécie de gratidão que, em geral, é reservada ao médico (como um agradecimento preventivo, caso acabemos em suas mãos). O psicoterapeuta encontra uma atitude (nem sempre escondida por trás da polidez dos costumes) que é uma mistura de temor com escárnio. Funciona assim, ao redor das mesas de jantar: "Puxa, este cara, aqui ao meu lado, é psicocoiso; vai ver que ele sabe ou entende sobre mim e minhas motivações mais do que eu mesmo sei e certamente mais do que eu gostaria que os outros soubessem". A medida protetora mais banal é o ataque: "Ah, você é psicanalista? Justamente acabo de ler uma matéria, onde é que era?... sabe, daqueles americanos que provam que a psicanálise é uma baboseira, você leu?".

Segundo, o psicoterapeuta não deve esperar a gratidão de seus pacientes. Nada de presentes no Natal, na Páscoa ou nenhuma outra festa. Nas curas que proporciona, o psicoterapeuta é, por assim dizer, ele mesmo o remédio. E, nos melhores casos, quando tudo dá certo, ele acaba exatamente como um remédio que a gente usou e que fez efeito: uma caixinha aberta, com as poucas pílulas que sobraram, no fundo do armário do banheiro. A caixinha é guardada durante um tempo, porque nunca se sabe; um dia a gente a encontra, não se lembra mais qual era seu uso, constata que, de qualquer forma, o remédio está vencido e joga fora. E é bom que seja assim.

Tento explicar por quê.

Em regra, idealizamos nossos profissionais da saúde (médicos, enfermeiros, fisioterapeutas, acupuntores, dentistas, eutonistas, psicoterapeutas, a lista é longa). Quando os consultamos, levando-lhes nossas dores, depositamos neles toda nossa confiança, porque imaginamos, supomos que eles saibam sobre nós e nossos males exatamente o que é preciso para que possam nos curar. É bem possível que essa confiança seja excessiva, mas, mesmo em seu excesso, ela é útil para que aconteça uma cura.

Acreditar no médico que nos prescreve um remédio não é tudo, claro; ainda é preciso que ele prescreva o remédio certo. Mas é bem provável que, para quem acredita em seu médico, aumentem as chances de que o remédio prescrito seja eficaz, de que o paciente não caia na percentagem estatística dos que (sempre existem) não obtêm efeito algum com o remédio.

A importância da confiança para que as curas aconteçam vale provavelmente para todas as profissões da saúde. E vale mais ainda no caso da psicoterapia.

Então, por que o psicoterapeuta não poderia esperar o tipo de vínculo duradouro e afetuoso que garante panetones, vinhos e outros presentes nas festas?

Voltarei a isso em outras cartas, mas, desde já, deixo aqui registrado: nenhuma psicoterapia, seja ela qual for, deveria almejar a dependência do paciente. Como disse antes, na psicoterapia, o terapeuta funciona um pouco como o remédio. Ora, transformar a confiança inicial numa eterna admiração e gratidão seria como substituir uma doença por uma toxicomania: você não tem mais pneumonia, mas tem uma necessidade visceral de tomar e venerar antibióticos. Ou, ainda, seria como curar um alcoolista tornando-o heroinômano.

Na verdade, se a psicoterapia faz seu efeito, o paciente para de idealizar o terapeuta.

Tudo isso apenas para dizer que, se você gosta da ideia de ser um notável na cidade e de sentir-se amado, a psicoterapia talvez não seja a melhor escolha profissional para você.

Só uma nota à margem, para ser sincero. Há terapeutas que, aparentemente, cultivam o amor, a admiração e a gratidão de seus pacientes acima de tudo. Eles parecem se importar mais com isso do que com a eficácia dos tratamentos. Ou seja, há terapeutas que escolheram a profissão com uma boa dose daquela vontade de ser amado e admirado, a mesma que, como acabo de dizer, talvez seja uma contraindicação para o exercício da profissão.

Pois bem, devo lhe confessar que alguns desses terapeutas podem ter o maior sucesso: eles se tornam frequentemente, aliás, diretores de escola e (talvez empurrados pela necessidade de serem admirados) podem vir a ser teóricos brilhantes e inventivos. Seus consultórios podem ser, eventualmente, abarrotados, mas eles devem seu sucesso profissional ao amor e à admiração que nunca se esquecem de alimentar em seus pacientes. De fato, pela experiência acumulada, pelo talento e pela capacidade de inspirar confiança, eles são, em geral, ótimos terapeutas no começo das curas. Mas os tratamentos que dirigem duram para sempre, transformam-se em dependência química. Não é raro que esse tipo de terapeuta considere e vivencie mesmo o fim ou a interrupção de uma terapia como uma espécie de traição amorosa de seu paciente.

Essa perpetuação de terapias não é o único problema.

É fácil reparar que, em quase todas as orientações da psicoterapia, a história da disciplina não é feita de discussões, confrontação de ideias e resultados, interrogações e pesquisas, mas se apresenta como um *vaudeville* (nem sempre engraçado), em que se alternam fiéis e infiéis, lugares-tenentes e traidores. Ou seja, é uma história de amores, desamores e ódios pessoais. Nisso, aliás, a psicanálise ganha o prêmio. Pois é, tudo isso tem uma origem comum: os diretores de escola vieram à psicoterapia como crianças decididas a viver para sempre com a agradável sensação de serem objetos insubstituíveis de amores e gratidões maternas. E delegaram a tarefa de manter essa ilusão a alunos e pacientes.

Por isso, insisto. As psicoterapias, em geral, se beneficiariam muito com algumas décadas futuras de menos brilho, menos neurose de seus chefes e mais cuidado com os pacientes. Portanto, por favor, se sua personalidade pede amor e admiração ao mundo, invente uma crença, torne-se médico, mas, pelo bem das psicoterapias, desista da psicoterapia como profissão. Ou então (mas este é um caminho longo), antes de se autorizar a ser psicoterapeuta, faça o necessário para mudar a si mesmo.

Mas deixemos as razões de desistir e vamos ao que importa. Esta carta deveria tratar dos traços de caráter que eu procuraria em quem quisesse se tornar psicoterapeuta. Não sei decidir em qual ordem de importância, mas todos estes eu gostaria de encontrar:

1) Um gosto pronunciado pela palavra e um carinho espontâneo pelas pessoas, por mais diferentes que sejam de você. Proponho-lhe um teste um pouco difícil, mas, afinal, você deve tomar uma decisão importante: bata um papo com dois ou três moradores de rua, aproxime-se, deixe-os falar o que, em geral, ninguém escuta (salvo justamente os psicoterapeutas dos Centros de Atenção Psicossocial). Se você conseguir escutar, digamos, uma hora, sem que o discurso (quase sempre desconexo) abale sua atenção, e se não recuou instintivamente quando eles passaram a mão encardida na sua camisa ou direto no seu braço, passou no teste. Repita, se possível, com outros perfis: pacientes psiquiátricos numa enfermaria ou num hospício, pacientes terminais num hospital geral e pessoas assoladas por um luto.

Sei, claro, que são provas que podem parecer estranhas e extremas, sugeridas por alguém (eu, no caso) que tem desde sempre uma simpatia (senão uma atração) pelas sarjetas do mundo. Mas minha intenção é prevenir. Veja bem, eu me formei numa escola de gente engravatada ou, então, alardeando camisas de seda modelo Revolução Cultural Chinesa. Alguns anos depois de ter começado minha prática de psicanalista, decidi trabalhar durante um tempo (foram dois anos) num IME (Instituto Médico-Educativo) do Norte da França, em Le Havre. Eu seria terapeuta de crianças que só tinham em comum o traço seguinte: todos – os pais, a assistência social, a escola – haviam desistido delas. Durante a visita preliminar para obter o emprego, sentei no pátio da instituição, contemplando a estranha agitação ao meu redor. De repente, um menino, bonito e inquietante pelo olhar esbugalhado, veio até mim, subiu no meu colo (eu pensei: legal, ele me acha simpático, não é?) e começou a tentar comer o meu rosto. Não eram mordidas, eram chupadas largas, de boca aberta, nos olhos, no nariz, nas bochechas; num instante, minha cara estava coberta de uma saliva espessa que tinha o cheiro e o gosto inconfundíveis de café com leite, ruim como só uma instituição psiquiátrica consegue fazer. Durou uma eternidade, e eu deixei, até que ele mesmo, talvez estranhando que eu não o afastasse nauseado, parou e ficou me olhando. Passei a mão na cabeça dele, devagar, para não assustá-lo, num gesto que queria dizer: "Está bem, entendi que este é seu jeito de falar, esta é (literalmente) sua 'língua', pode falar comigo". O diretor da instituição, que estava sentado ao meu lado, comentou: Bom, acho que você foi aprovado. E pensei o seguinte: Isso deveria ter acontecido comigo muito tempo atrás, antes de começar minha formação, quando ainda era possível desistir. Por sorte, passei nesse teste tardio.

2) Uma extrema curiosidade pela variedade da experiência humana com o mínimo possível de preconceito. Você pode ter crenças e convicções. Aliás, é ótimo que as tenha, mas, se essas convicções acarretam aprovação ou desaprovação morais preconcebidas das condutas humanas, sua chance de ser um bom psicoterapeuta é muito reduzida, para não dizer nula.

Explico melhor. Você pode ser religioso, acreditar em Deus, numa revelação e mesmo numa ordem do mundo. No entanto, se essa fé comportar para você uma noção do bem e do mal que lhe permite saber de antemão quais condutas humanas são louváveis e quais condenáveis, por favor, abstenha-se: seu trabalho de psicoterapeuta será desastroso. A preocupação moral não é estrangeira ao trabalho psicoterápico, mas, para o terapeuta, o bem e o mal de uma vida não se decidem a partir de princípios preestabelecidos; eles se decidem na complexidade da própria vida da qual se trata. Um mesmo sintoma pode ser a razão do sucesso ou do fracasso de uma existência. Se você sofre de insônia porque, por exemplo, sua história o condena a ser para sempre a sentinela da casa, pode acontecer que você se torne o responsável noturno mais confiável de uma central nuclear ou, ao contrário, que você atravesse a vida de café em café, numa luta extenuante contra o sono que, obviamente, sobra para o dia. Em suma, a insônia não é nem boa nem ruim. Agora aplique a mesma ideia ao caso de uma preferência ou de uma fantasia sexual e entenderá que um terapeuta que tivesse um juízo moral preconcebido sobre a tal fantasia ou preferência não teria condição de respeitar a singularidade de seu paciente.

Você poderia perguntar: mas será que não há condutas que eu posso julgar desprezíveis, seja qual for seu lugar, origem e função na vida de meu paciente? O que devo fazer, se meu trisavô era Zumbi dos Palmares, e alguém se apresenta, me conta que odeia negros e orientais, acredita na supremacia da raça branca e quer ajuda porque (o exemplo é real) só consegue desejar corpos dessas outras raças?

Pois bem, de duas uma: ou você pode escutar esse paciente sem juízo moral preconcebido (mas sem nenhum, mesmo) ou, então, é um limite, um caso do qual você não pode se ocupar. Encaminhe para outro terapeuta que talvez tenha limites diferentes.

É fácil entender que, se você tiver opiniões morais prontas sobre a metade dos atos possíveis nesta terra, é melhor deixar a profissão de terapeuta para quem tem mais indulgência pela variedade da experiência humana.

3) Este ponto é controvertido: além de uma grande e indulgente curiosidade pela variedade da experiência humana, eu gostaria que o futuro terapeuta já tivesse, nessa variedade, uma certa quilometragem rodada. Claro, sei que Freud era, ao que parece, bem certinho, e isso não impediu que ele se tornasse capaz de lidar como terapeuta (e não como moralista) com sintomas e fantasias sexuais que sua época condenava radicalmente. Também não impediu a "descoberta" da existência da sexualidade infantil, da qual ninguém queria sequer ouvir falar. Como ele conseguiu? É que, na sua própria análise (ou autoanálise que fosse), ele soube encontrar fantasias e desejos que não eram muito distantes dos que animam vidas estranhas e reprovadas socialmente. Ele aprendeu, em suma, que é difícil, senão impossível, encontrar "desvios" pelos quais ao menos uma parte de nossa mente não se tenha engajado em algum momento.

Por que qualquer terapeuta não faria o mesmo?

Acontece que duvido que a coragem analítica de Freud possa ser compartilhada por muitos. Por isso, prefiro contar com a experiência efetiva, ou seja, gostaria que a capacidade de considerar a variedade das vidas e das condutas com carinho e indulgência viesse ao terapeuta da variedade "animada" de sua própria vida.

No caso de Freud, essa exigência teria sido inútil e enganosa. Mas, como considero Freud uma exceção, na hora de escolher um terapeuta, minha preferência iria para alguém que não fosse um cartão-postal do conformismo.

Portanto, se você estiver hesitando em escolher a profissão de psicoterapeuta só porque, por uma razão qualquer, você não é um modelo de normalidade, esqueça essa preocupação. Claro, é possível que você ainda encontre no seu caminho instituições de formação muito preocupadas em não comprometer sua aura de respeitabilidade social. Até pouco tempo atrás, por exemplo, havia institutos de formação de psicanalistas que consideravam que um ou uma psicanalista não poderiam ser homossexuais. A justificativa era que os tais sujeitos não teriam chegado à suposta "maturidade genital", ou seja, àquele estágio (mas seria melhor dizer àquele estado) da sexualidade em que as pessoas transariam só para fazer filhos, direitinho. Provavelmente, tratava-se sobretudo de fazer bonito aos olhos da sociedade bem-pensante, cujos membros são, afinal, os "melhores" pacientes (ou seja, neste caso, aqueles que podem pagar mais). A prova disso é que os mesmos institutos, durante anos, recusaram dar formação a candidatos que tivessem algum tipo de deformidade física. Diziam que os defeitos visíveis impediriam que os pacientes idealizassem seu terapeuta, como é necessário que aconteça, inicialmente, para que a terapia funcione.

Os psicanalistas eram, no começo da história da psicanálise, um bando de tipos excêntricos, marginais da medicina e das ciências sociais. Entende-se que alguns ficassem ansiosos em ganhar cartas de recomendação para os clubes dos notáveis, normais e bonitos. Mas não se entende que essa fachada de normalidade possa ser, hoje, um critério na hora de selecionar candidatos para formação. Enfim, se sua vida sexual for um pouco colorida e você esbarrar numa instituição que condene seu desejo, não hesite, passe longe, siga em frente e procure outra instituição. Lembre-se de duas coisas. Primeiro, um psicoterapeuta (e ainda mais um psicanalista) que define uma conduta como "desvio" não fala em nome da psicoterapia e menos ainda em nome da psicanálise. Ele fala quer seja em nome de seu anseio de normalidade social, quer seja em nome de seu esforço para reprimir nele mesmo o desejo que parece condenar. Segundo, e de modo mais geral, quem estigmatiza categorias universais, como "os homossexuais", "os sadomasoquistas", "os exibicionistas" etc., é um atacadista, enquanto a psicanálise trabalha no varejo: a fantasia e o desejo só encontram seu sentido nas vidas singulares.

4) O quarto e último traço que gostaria de encontrar no futuro psicoterapeuta é uma boa dose de sofrimento psíquico. Desaconselho a profissão a quem está "muito bem, obrigado", por duas razões. Primeiro, uma parte essencial da formação de um terapeuta que trabalhará com as motivações conscientes ou inconscientes de seus pacientes consiste no seguinte: o futuro terapeuta deve, ele mesmo, ser paciente durante um bom tempo. Certo, é possível, aparentemente, submeter-se a uma terapia ou a uma psicanálise só por razões didáticas, para aprender o método ou, como dizem alguns, para se conhecer melhor. Mas insisto no "aparentemente", pois, de fato, é improvável que uma psicanálise aconteça sem que um sofrimento reconhecido motive o paciente. O processo não é necessariamente desagradável, mas pede uma determinação e uma coragem que podem falhar mais facilmente em quem não precisa de tratamento. Por que diabos me aventurarei a explorar os porões de minha cabeça, lugares malcheirosos e arriscados, se eu não for empurrado pela vontade de resolver um conflito, acalmar um sintoma e conseguir viver melhor? Uma terapia puramente didática é geralmente uma simulação de terapia.

E eis uma segunda razão para preferir que o futuro psicoterapeuta traga consigo uma boa dose de sofrimento psíquico e precise se curar. Durante os anos de sua prática clínica, no futuro, muitas vezes você duvidará da eficácia de seu trabalho. Encontrará pacientes que não melhoram, agarrados a seus sintomas mais dolorosos como um náufrago a um salva-vidas; viverá momentos consternados em que as palavras que lhe ocorrerão parecerão alfinetes de brinquedo, agitados em vão contra forças imensamente superiores. Nesses momentos (que, acredite, serão frequentes) será bom lembrar que você sabe mesmo (e não só pelos livros) que sua prática adianta. Sabe porque a prática que você propõe a seus pacientes já curou ao menos um: você.

Resumindo, meu jovem amigo que pensa em ser terapeuta, se você sofre, se seus desejos são um pouco (ou mesmo muito) estranhos, se (graças à sua estranheza) você contempla com carinho e sem julgar (ou quase) a variedade das condutas humanas, se gosta da palavra e se não é animado pelo projeto de se tornar um notável de sua comunidade, amado e respeitado pela vida afora, então, bem-vindo ao clube: talvez a psicoterapia seja uma profissão para você.

Abç.

2. QUATRO BILHETES

BILHETE 1

Caro amigo, recebi, sim, seu bilhete. Gostei da provocação. Lida a minha primeira carta, você me pergunta se, então, não haveria nenhum "desvio" (apreciei as aspas) que impediria que um sujeito se tornasse psicoterapeuta e acrescenta: "Poderia um travesti ser psicoterapeuta ou psicanalista? E você iria a um ou uma terapeuta travesti?".

Pois é, eu escolheria um analista em quem tivesse confiança. As razões dessa confiança seriam provavelmente imponderáveis e, eventualmente, irrisórias: desde a recomendação de um amigo até a decoração do consultório, passando por uma contribuição decisiva do terapeuta à última enciclopédia de bridge ou por algo que ele/ela disse ou escreveu em matéria de psicanálise.

De qualquer forma, quando escolhi meu analista, não me lembro de ter pensado que escolhia um analista heterossexual. Suas fantasias e preferências sexuais não o definiam, eram irrelevantes aos meus olhos.

A coisa seria diferente na escolha de um analista travesti? Sim e não.

Escolher um (ou uma) analista travesti teria um significado muito especial para quem compartilha com a cultura dominante a atitude seguinte: geralmente, pensamos que um sujeito que tenha e assuma uma preferência sexual excêntrica (digamos assim) seja necessariamente um sujeito que só pensa nisso, um "tarado", ou seja, um sujeito que se definiria exclusivamente por seu desejo sexual. Essa convicção é sempre fruto de alguma repressão. Funciona assim: se reprimo minhas fantasias (por mínimas que sejam) de experimentar os prazeres que imagino sejam reservados ao outro sexo, quem parece viver essas fantasias (o travesti, no caso) me aparecerá como o símbolo vivente da lubricidade. Claro, trata-se somente da lubricidade que não me autorizo ter. Pois, de fato, na maioria das vezes, os travestis são mais preocupados em definir sua identidade do que afobados em gozar como míticos hermafroditas.

Em suma, se você imagina que qualquer travesti é um ser que conhece os prazeres de ambos os sexos e é afoito por ambos, talvez um travesti não seja para você o terapeuta ideal. A menos que você não queira justamente um terapeuta ou analista que lhe apareça de imediato como depositário de um extraordinário saber sobre o sexo. Nesse caso, por que não?

Por outro lado, se você não caminha com a cultura dominante, ou seja, não transforma uma preferência excêntrica numa "tara" sexual, um terapeuta ou analista travesti não será, para você, muito diferente de um terapeuta ou analista de terno ou *tailleur* Armani.

Agora, não sei se há analistas ou terapeutas travestis. Portanto, não adianta me pedir telefone e endereço do consultório.

BILHETE 2

Gosto disso, você é persistente e agora pergunta: "E um pedófilo, poderia ser terapeuta ou analista?".

Você quer que eu estabeleça um limite, ou seja, que coloque alguma prática ou fantasia sexuais no campo de uma anormalidade que tornasse por si só impossível o exercício da psicoterapia ou da análise. Por isso, você recorre a uma preferência sexual que é, além de ilegal, repulsiva, pois há ótimas razões, em nossa cultura, para que a infância seja protegida do desejo sexual dos adultos.

Mas disso, em princípio, cuida a nossa polícia.

A objeção à ideia de um terapeuta pedófilo existe, mas é de outra natureza. A fantasia do pedófilo é propor ou impor seus desejos a um sujeito que mal entende o que está sendo feito com ele e com seu corpo. É uma fantasia de domínio e sobretudo de domínio pelo saber. É a história (verídica) daquele padre americano que pedia sexo oral, explicando a seu coroinha que era uma forma de santa comunhão.

Não é difícil entender que essa fantasia não é compatível com o exercício da psicoterapia ou da análise.

Claro, no começo de uma terapia ou análise, o paciente sempre supõe que seu terapeuta saiba muito mais do que ele, sobretudo em matéria de desejo e de sexo. Justamente, espera-se de uma terapia que ela não transforme essa suposição numa dependência crônica. Ora, é exatamente o que acontecerá se o terapeuta se servir da suposição inicial do paciente para realizar sua própria fantasia sexual, ou seja, se ele, propriamente, encontrar seu gozo na suposta supremacia de seu saber. E, se o terapeuta for pedófilo, a tentação será grande.

BILHETE 3

Desta vez, você pergunta: "Qual é seu limite? Qual é o paciente que você recusaria e encaminharia alhures? E será que existem limites, por assim dizer, universais? Ou seja, sujeitos que nenhum terapeuta ou analista deveria aceitar?".

Um grande analista francês, Jacques Lacan, disse uma vez, durante uma supervisão, que a gente não deveria oferecer tratamento aos parricidas. Mas não explicou por quê. É sempre possível construir uma teoria geral do parricídio como infâmia inaceitável. Mas suspeito que se tratasse de um limite pessoal de Lacan, ou seja, que ele, Lacan, não tinha condição de oferecer análise a um parricida. Por quê? Pois é, se você conhecesse a raiva famélica com a qual os filhos espirituais de Lacan se jogaram em cima de seu cadáver ainda antes de sua morte, entenderia facilmente (não me eximo da crítica: participei do festim). Talvez, nos últimos anos de sua vida, Lacan já sentisse hálitos carniceiros perto de seu pescoço e, com isso, achasse os parricidas pouco simpáticos.

E eu? Qual é meu limite? Há só um que me pareça evidente: são aqueles sujeitos que conseguem se autorizar a cometer pequenos ou grandes horrores, participando de aventuras coletivas que os absolvem de antemão.

No fim dos anos 1970, em Paris, por falar italiano, recebi alguns pedidos de terapia de brigadistas vermelhos que fugiam da Justiça italiana exilando-se na França.

Todos viviam numa espécie de divisão. Eram sujeitos atormentados por dúvidas, dívidas e culpas em mil aspectos de suas vidas privadas. Mas seus atos militantes pertenciam, por assim dizer, a outro mundo, no qual não cabia nenhum questionamento subjetivo, exceto, naturalmente, a interrogação: "Sou ou não sou, fui ou não fui um 'bom' militante?".

Por exemplo, um jovem, aflito por pensamentos obsessivos e impotência sexual, não tinha nada para comentar sobre o fato de que, numa manhã de inverno, ele enfiara duas balas calibre 45 nos joelhos de um sindicalista da FIAT, bem na hora em que, saindo para o trabalho, o homem se virava para dizer tchau à mulher e à filha. "Pernizar" ("gambizzare", atirar nas pernas), como se dizia na época, e deixar inválido um pai de família não era, para esse jovem, um ato do qual ele reconhecesse propriamente a autoria. "Pernizar" era a expressão "normal" da máquina revolucionária da qual ele era uma engrenagem.

Pois bem, consegui oferecer tratamento a somente um desses brigadistas exilados. E foi porque, logo nas primeiras entrevistas, ao expor seu passado militante, sua confortável sensação de ter sido apenas um instrumento do brigadismo, ele não resistiu ao descobrir, com um certo horror, que o dedo que puxara o gatilho tinha sido o seu.

Pode ser que meu limite, neste caso, decorra de uma antipatia atávica por todos os grupos que nos possibilitem agir como instrumentos de uma causa, adormecendo os espectros da consciência. Afinal, desse ponto de vista, os jovens brigadistas não deviam ser muito diferentes dos fascistas que perseguiram meu pai.

Mas talvez meu limite coincida com o limite universal sobre o qual você me questiona. Talvez um terapeuta ou um analista não tenham nunca o que propor a quem (burocrata, militante ou crente) consegue agir e perpetrar pequenos ou grandes horrores sem que sua subjetividade esteja envolvida. Você já ouviu: "Essas eram as ordens", "Esta é a regra", "Isto é o que manda nossa fé", não é mesmo?

BILHETE 4

Você pergunta: "Será que não deveríamos acrescentar, entre os traços de caráter esperados num terapeuta, uma vontade de mexer com a vida dos outros, de ensiná-los, influenciá-los?".

Admito sem dificuldade que, no decorrer de uma terapia ou de uma análise, há momentos em que o terapeuta ou analista é levado a apontar um caminho e mesmo a empurrar o paciente na direção que parece mais certa. Nenhuma vergonha nisso. Aliás, a maior associação de psicoterapeutas dos Estados Unidos, da qual sou membro, chama-se American Counseling Association; "counselor" significa "conselheiro", não no sentido honorífico: simplesmente, alguém que dá conselhos.

Será que o terapeuta ou analista não é também, você pergunta, alguém que gosta de aconselhar, com os privilégios (ilusórios) que essa posição comporta (sensação de relevância, de sabedoria efetiva)?

Quando era moleque, detestava conselhos, como a maioria de meus colegas. Quem oferecia conselhos era chamado pela gente, na Itália, de "cagasenno", ou seja, traduzindo de modo menos chulo: defecador de sapiência. Ora, o conselheiro "cagasenno" é aquele que se prevalece de um saber externo à situação (sua experiência pretensamente maior, seu elevado senso moral ou uma reserva de banalidades que ele chama de sabedoria ancestral). Em nome desse saber, o "cagasenno" quer escolher pela gente. Como se espera que aja o terapeuta ou analista na hora em que for preciso empurrar o paciente para a frente? A escolha da direção ou do caminho não deve ser decidida por uma norma, nem mesmo por uma sabedoria. Espera-se que o terapeuta ou analista empurre o paciente na direção de seu desejo. Aliás, é por isso que uma terapia leva tempo, porque, antes de empurrar, é preciso que esse desejo consiga se manifestar um pouco.

Mesmo assim, na hora de empurrar, é difícil, para o terapeuta, respeitar a direção apontada pelo desejo do paciente, ou seja, é difícil não achar que o desejo do paciente se parece sempre (olhe só, que coincidência) com o que a gente escolheria se estivesse na mesma encruzilhada. Por isso, é bom que o terapeuta ou analista não tenha uma grande paixão pedagógica. Se ele for "cagasenno" de caráter, empurrará na direção que lhe parece certa à vista de seus conceitos ou preconceitos.

Falando nisso, um episódio recente foi particularmente tragicômico: uma igreja evangélica quis e tentou se constituir como centro de formação "psicanalítica". Nota: aparentemente, apesar dos ataques que ela recebe, a psicanálise ainda deve ser uma denominação interessante. Fora isso, dá calafrios a ideia de "terapeutas" convencidos de que o Senhor e Bom Pastor sabe o caminho certo para cada ovelha e o comunicará a seus ministros, de modo que eles possam encaminhar as ditas ovelhas pela via do bem.

Em suma, muito mais do que a vontade de ensinar os outros e de mexer com suas vidas, é importante, como já disse, a aceitação carinhosa da variedade das vidas com todas as suas diferenças.

Sei como esse carinho se manifestava em mim, quando era ainda criança. Sobretudo aos sábados, eu voltava para casa, do cineclube de meu colégio, no fim da tarde. Em Milão, já era noite. Caminhava devagar, olhando para cima; gostava de ver as janelas iluminadas, a cor das cortinas, o brilho dos lustres, a luz trêmula dos primeiros televisores preto e branco. No verão, chegavam aos meus ouvidos o tilintar das mesas que estavam sendo postas e das cozinhas, alguns gritos, chamados e mesmo pequenas brigas, música e vozes do rádio. Eu ficava nostálgico daquelas existências, que imaginava, ao mesmo tempo, parecidas com a minha e diferentes. Sentia pena por todas as vidas que eu não viveria e uma certa alegria, porque pensava que, de todas, no fundo, eu podia reconhecer ao menos o barulho e o cheiro que me eram estranhamente familiares. Mais comum do que o gosto pelas janelas iluminadas, a paixão pela literatura é, geralmente, sinal do mesmo carinho e da mesma aceitação diante da variedade das vidas. Detalhe: o amor pela literatura pode ser, indiferentemente, amor pelos autores de cordel ou pelos clássicos, mas é sempre amor por muitos livros. Como dizia santo Tomás (um pouco modificado): "Temo o psicoterapeuta de um livro só".

3. HÁ CONDIÇÕES PRÉVIAS?

Cara amiga,

Você cita minha observação de que um transexual ou travesti poderia perfeitamente ser um terapeuta e me pergunta se foi apenas uma provocação: "Foi apenas uma maneira de desafiar nossos preconceitos?".

Pois bem, o que eu disse não era só uma provocação. 1) Um terapeuta não precisa ser um exemplo de normalidade nem sexual nem mental. A saúde mental (seja lá o que isso for) não é um pré-requisito para ser psicoterapeuta, porque o propósito de uma terapia não é o de tornar alguém "normal". 2) Para resumir, o propósito de uma terapia é levar alguém a descobrir e respeitar seu desejo (respeitá-lo no sentido de que é melhor você respeitar um animal selvagem). Por isso, imagine um terapeuta que, para respeitar seu próprio desejo, esteja disposto a aguentar o desconforto de viver como travesti ou transexual; ele seria uma referência preciosa para qualquer paciente.

Você tinha previsto essa minha resposta e por isso acrescentou: "Se o terapeuta travesti for um exemplo porque se permite viver segundo o que exigem suas fantasias e seus desejos, então deveríamos pensar que uma terapia serve para nos libertar para todos os nossos desejos e prazeres. Mas não poderia e deveria ser um compromisso? O que dizer das terapias que devem impor uma contenção porque o desejo do paciente não é aceito socialmente (como no caso da pedofilia)?".

A terapia tem a tarefa de levar o paciente a reconhecer seu desejo; essa é a condição necessária tanto para praticá-lo como para contê-lo e descartá-lo.

Não sei se a busca dos prazeres deve constituir uma espécie de moral – afinal, na organização psíquica de cada um, sempre há sistemas de valores que pedem uma renúncia ao prazer e, em cada momento de nossa história e sociedade, há prazeres aos quais é prudente renunciar.

Mas constato que, em geral, renunciamos ao prazer muito mais do que precisaríamos. De fato, é muito comum que a gente renuncie a prazeres aos quais não é necessário renunciar – prazeres aos quais nem nossa história, nem nossa organização psíquica, nem nossa sociedade nos pedem para renunciar. Nossa cultura nos predispõe a isto: quase sempre, achamos que a renúncia, a frustração são meritórias. Qualquer fazedor de promessas acredita que o que compraria o carinho de Deus ou a simpatia da boa sorte é seu sacrifício. Nunca ganharei na Mega-Sena por comer muito chocolate – eventualmente, será por deixar de comer meu chocolate preferido.

Na grande maioria dos indivíduos de quem cuido, a repressão está muito acima do que parece necessário – de qualquer ponto de vista, a não ser do ponto de vista de alguma ideologia religiosa. Há o que me proíbo de fazer devido a esforços e sintomas sofridos. E há o que não me permito – por exemplo, porque não me parece "decoroso" ou por um medo que mal sei definir (um exemplo é o de mulheres que procuram um parceiro, mas não se autorizam nunca a sair sozinhas para um bar ou uma balada). Em suma, a renúncia é sempre maior do que precisamos para viver. E renunciar aos prazeres é a primeira coisa que estamos dispostos a aceitar, como se isso fosse um remédio. A medicina contemporânea, aliás, toma carona nessa disposição: a própria saúde parece sempre ser condicionada a alguma privação de coisas das quais gostaríamos.

É sempre mais fácil pregar o ascetismo do que a permissão de ter prazer.

Sou hedonista? Em termos. Não sei se todo prazer é sempre bom. Simplesmente constato que a privação de prazeres não é um mérito ou remédio contra todos os males, nem um propósito que deveríamos perseguir em si.

Minha maneira de pensar a questão das renúncias e repressões "necessárias" mudou ao longo de minha vida profissional; no começo, eu considerava que a terapia que praticava deveria estar a serviço de um "bom" recalque ou de uma "boa" repressão ("bom" aqui significa bem-vindo, se não propriamente "necessário"), ou seja, pensava que o bem-estar sempre acarreta uma dimensão de renúncia ou de repressão.

Certo, há desejos que não são realizáveis, ou cujo custo (social, afetivo etc.) seria excessivo. Mas hoje acho sobretudo crucial que a repressão e a renúncia sejam sempre as mínimas possíveis (com acento tônico sobre "mínimas").

Volto agora à sua pergunta. Você questionava minha observação de que seria bom que um terapeuta tivesse a coragem de seu desejo (que não reprimisse o que não é necessário reprimir).

Claro, nenhuma terapia é baseada na simples identificação com o terapeuta, mas nenhuma funciona sem algo disso – afinal, frequentemente, escolhemos um terapeuta que não seja muito diferente de quem gostaríamos de ser.

Por isso, um terapeuta que vivesse de renúncias, de uma certa forma, desmoralizaria sua própria prática.

Essa ideia, de que seria bom que um terapeuta tivesse a coragem de seu desejo, será que ela implica que o terapeuta teria que ser um exemplo constante de saúde mental? Não. Peço desculpa se lhe transmiti essa impressão.

Qualquer médico pode sofrer de todas as doenças que ele trata, e um terapeuta pode lidar com níveis bem altos de sofrimento psíquico.

Então, não é necessária nenhuma condição mental prévia para se tornar terapeuta? Só a coragem de seu desejo? Sim e não.

Aquém dos altos e baixos de uma vida, e mesmo aquém das formas de nossas neuroses e psicoses, resta, digamos assim, uma "atitude" que eu gostaria de encontrar em qualquer terapeuta: uma disposição básica diante da vida como fonte possível de alegria e de prazer.

O que levanta uma questão de fundo: o que é e como se transmite a vontade de viver, o interesse pela nossa própria vida? Explico: interesse não na sobrevivência, mas na vida concreta, na experiência que ela nos proporciona.

O fato é que a vontade de viver e o interesse pela vida não são dados automáticos ou "naturais". Há inúmeros indivíduos, com neuroses variadas, que sofrem de uma mesma aflição de base: eles parecem viver a vida inteira, por assim dizer, a contragosto, como se a vida fosse, no melhor dos casos, apenas sofrível.

Caso um paciente viva a contragosto, será que existe alguma chance de a terapia infundir nele alguma vontade de viver? E será que é possível o terapeuta suscitar no paciente esse interesse pela vida, se ele mesmo vive a contragosto?

Mas voltemos. A vontade de viver, o que é?

O que chamo de "vontade de viver" é muito mais que a persistência necessária para não se matar: é a sensação (em grande parte inconsciente) de ter o direito de estar no mundo, de ser de alguma forma bem-vindo aqui, e portanto de poder ousar. É dessa sensação que nasce a coragem de se aventurar, pagar o preço de nosso desejo e correr o risco. Essa coragem de viver, será que é algo que se conquista ou é sempre um dado inicial?

A resposta clássica é que a vontade de viver tem a ver com um sentir-se acolhido no mundo, que seria muito primitivo, muito inicial, adquirido bem no começo da vida.

Esse sentir-se acolhido depende de como fomos acolhidos no mundo e também da alegria de viver dos pais e dos adultos mais significativos para o recém-nascido. Não sei se, do fundo de uma depressão grave, é possível acolher um filho ou uma filha.

Quando esse acolhimento falha, será que tem uma chance, na vida adulta, de modificar a sensação inicial de não ser bem-vindo ao mundo? Ou quem não se sentiu acolhido viverá sempre com um pano de fundo melancólico, como se não merecesse estar aqui?

Seja como for, talvez seja bom que qualquer paciente encontre (ou consiga adivinhar) em seu terapeuta os indícios de um gosto pela vida – assim como seria bom que qualquer um encontrasse esse gosto nos seus pais.

Não é nada espalhafatoso: nenhuma alegria ridiculamente constante. De fato, é algo que talvez seja melhor definido por sua falta: sentimos quando alguém não tem esse recurso vital, e o paciente sente quando ele falta no seu terapeuta.

BILHETE

Você me escreve que a tal coragem ou vontade de viver deve ser mesmo um dado inicial e se oferece como exemplo. Você me diz que a constante melancolia de sua vida vem de longe, de antes que você nascesse: "Meu pai não queria que eu viesse ao mundo, pediu que minha mãe abortasse", "Só existo pela teimosia dela", "Certamente não foi dele que recebi o dom da vontade de viver...".

Eu tenho por princípio evitar responder aqui as cartas que tratem do sofrimento de meus correspondentes – nada de "terapia epistolar", então.

Mas o resumo do que estaria na origem de sua tristeza me pareceu tão potencialmente perigoso nas suas consequências que decidi fazer uma exceção.

Na reconstituição de sua história, considere que a gente erra muito na interpretação das palavras – sobretudo das que não nos foram endereçadas.

O que você sabe é o que sua mãe lhe relatou. A morte de seu pai impediu que você o interrogasse sobre essa história.

Agora, o que sua mãe lhe contou diz mais sobre a relação entre sua mãe e seu pai do que sobre a relação entre seu pai e você. Por exemplo, o relato de sua mãe pode nos dizer que sua mãe quis ganhar seu amor exclusivo, sem compartilhar você com o marido dela; algo assim: "Meu filho, só eu quis que você viesse ao mundo". Ou seja, o relato da sua mãe expressa, antes de mais nada, uma rivalidade entre sua mãe e seu pai.

Outra coisa: mesmo se seu pai efetivamente tivesse preferido que você não nascesse, concluir a partir disso que, portanto, ele não amou e não acolheu você (como sua mãe sugere) é uma falácia neurótica, ou seja, uma falsa ideia que está a serviço de conflitos afetivos infantis. Justamente, sua mãe lhe contou essa história toda quando você parecia inconsolável depois da morte de seu pai. Querendo lhe oferecer um remédio, ela, quem sabe enciumada pelo seu luto, tentou afastar você de seu pai. Algo assim: "Meu filho, é por ele que você está tão triste? Mas ele sequer quis que você nascesse...".

Nenhuma terapia dinâmica pode alterar os fatos de uma vida, mas pode, isso sim, alterar a narrativa dos fatos – e isso talvez seja decisivo.

Conheci homens e mulheres que sobreviveram milagrosamente a múltiplas tentativas de aborto (algumas realmente brutais) e que são hoje adultos cheios de vontade de viver e tranquilos com a sensação de serem bem-vindos no mundo e amados por mães e pais. Para alguns deles, aliás, a história dos abortos aos quais sobreviveram é um prólogo heroico-cômico e engraçado na história de suas vidas.

4. QUANTO CUSTA?

Cara Senhora,

Entendo que, por ser mãe de uma jovem que planeja se tornar psicoterapeuta, você me coloque perguntas práticas: "Quanto custa a formação? E será que compensa? Em quanto tempo a gente amortiza o capital gasto? Você fez a conta?".

Por um momento, ao receber sua carta, pensei que, numa nova edição do livro, talvez eu começasse respondendo às suas interrogações. Mas resultava estranho começar as *Cartas a um jovem terapeuta* respondendo às preocupações de uma mãe.

Não me leve a mal, nada contra as mães. Mas levando-se em conta que uma parte considerável da formação de muitos psicoterapeutas consiste em eles mesmos passarem por uma terapia e, se possível, minimizarem sua neurose. Agora, no decorrer de uma terapia, todos descobrimos que a família que nos criou, por mais que tenha nos proporcionado uma infância agradável, é a fonte principal de nosso sofrimento neurótico.

Ou seja, nossas neuroses são quase sempre a continuação ou a repetição dos afetos da infância na idade adulta (rivalidades, paixões, amores, ódios, ambivalências).

Numa psicoterapia, em tese, a gente ganha alguma independência desses afetos familiares da infância. Não digo que a terapia nos liberte definitivamente das nossas neuroses infantis, mas talvez ela nos torne capazes de não repetir sempre nossa infância ao longo de nossa vida adulta.

Por isso mesmo, seria um pouco irônico começar estas *Cartas a um jovem terapeuta* dando a palavra às preocupações da mãe do futuro terapeuta.

Além disso, existem razões para desconfiar um pouco das reações e dos afetos maternos, quando uma filha ou um filho anunciam que querem se tornar terapeutas. As mães, justamente, sabem que a formação dos filhos psicoterapeutas os levará a contar e examinar, mais de uma vez, sua infância. E elas suspeitam que, de uma maneira ou de outra, no julgamento por filhos e filhas, elas quase sempre resultarão culpadas – por excesso ou por falta (tanto faz) de amor e de cuidados. Elas sabem, em suma, que, aos olhos dos filhos, elas serão ou terão sido mães "insuficientes" ou inadequadas.

As mães se defendem com humor desse triste destino de serem acusadas por filhos e filhas que passem por uma psicoterapia. Há a piada famosa das três mães, cada uma das quais conta vantagens sobre a formação dos filhos. Meu filho é advogado e agora, depois do Largo São Francisco ou PUC que seja, vai fazer mestrado em Harvard. Meu filho fez o exame do Instituto Rio Branco, passou, mas renunciou porque não podia tolerar ficar longe de mim, e, tornando-se diplomata, mais cedo ou mais tarde ele acabaria viajando muito. Enfim, a terceira, com tom de triunfo: meu filho está se formando como psicanalista e paga consultas cinco vezes por semana para deitar e, durante quase uma hora, a cada vez, durante anos, falar de mim.

Em geral, aliás, mães à parte, a ideia de que alguém da família se forme como psicoterapeuta suscita facilmente sentimentos ambivalentes nos parentes próximos.

O psicoterapeuta (mesmo futuro) sempre inspira receios, como se ele se preparasse para enxergar em nós coisas que preferiríamos manter escondidas.

Além disso, contrariamente ao que acontece com a médica, o dentista ou a advogada, um (ou uma) psicoterapeuta na família não se torna um recurso comum: não é alguém a quem a mãe, o pai, a tia ou o irmão poderão recorrer se precisarem – por duas razões: 1) a terapia não funcionaria direito (o psicoterapeuta não pode cuidar de alguém com quem possui uma história prévia e um envolvimento afetivo) e 2) o paciente não se abriria: é difícil falar de coisas íntimas para um familiar.

Em suma, cara senhora, a preocupação que você manifesta sobre o retorno do investimento na formação de sua filha é legítima, mas constato que, geralmente, ela não surge nas mães de médicas, dentistas e advogadas. É curioso, porque faz tempo que medicina, advocacia e odontologia não são mais garantia alguma de segurança financeira e social futura.

Talvez a mãe do futuro psicoterapeuta se coloque uma pergunta a mais: será que essa longa e custosa formação gera uma habilidade profissional de primeira necessidade? Meu filho ou minha filha poderiam levar anos para se formar e gastar todo um patrimônio só para descobrir que, enquanto eles se formavam, a psicoterapia saiu de moda ou se tornou uma espécie de acessório supérfluo.

Não tem muita chance de isso acontecer (volto sobre a questão no P.S. da última carta deste volume), mas, de qualquer forma, duvido que meus argumentos a tranquilizem plenamente. Como já disse, a ideia de filhos ou filhas se tornarem psicoterapeutas, em geral, não faz a felicidade das mães.

Muitos anos atrás, numa reunião social, em Paris, conheci a mãe de um psicanalista muito bem-sucedido e conceituado – um didata na sua instituição. Essa senhora, quando soube que eu mesmo era psicanalista em formação, apontou o filho dela sentado a poucos metros da gente e me disse, com comiseração e tristeza, lastimando: "Meu filho também é psicanalista... Imagine... Ele era médico!", como se da medicina para a psicanálise houvesse um abismo de decadência.

Resta dizer que a pergunta sobre o investimento necessário para se formar é legítima, assim como a pergunta sobre o retorno possível desse investimento. Claro, os psicoterapeutas, em geral, preferimos desdenhar dessas considerações, e achamos que há uma boa razão para isso: ninguém se torna psicoterapeuta e permanece na profissão para ganhar dinheiro. Provavelmente, aliás, quem entrasse na profissão para ganhar direito não aguentaria.

Somos psicoterapeutas por uma estranha mistura de razões (restos da curiosidade sexual infantil, que nos levam a perguntar incessantemente como funcionam os seres humanos; restos de narcisismo infantil, que nos levam a procurar ser, de uma maneira ou de outra, indispensáveis para nossos pacientes, ao menos durante um tempo; enfim, a vontade de repetir com todos eles o caminho difícil e precioso de nossa saída da dependência infantil etc.). Cada um descobre as suas razões, e o dinheiro é raramente uma delas.

Mesmo assim, concordo com você e não vejo por que a gente não faria as contas de uma formação.

Por sorte, a mesma pergunta "econômica" colocada por você, mãe de um futuro psicoterapeuta, recebi nestes dias de uma jovem que prestava vestibular para psicologia e me perguntava quanto custaria se tornar psicoterapeuta.

Permita, então, que eu continue minha resposta respondendo a ela.

༄

Minha jovem amiga,

Não é preciso se envergonhar porque sua pergunta poderia parecer prática ou utilitária demais. Uma psicoterapia serve também para a gente não se envergonhar e não se deixar inibir na hora de perguntar.

Entendo que, ao escolher qual vestibular prestar e a qual profissão se destinar, você se pergunte sobre o tamanho do investimento financeiro e o retorno possível de sua escolha.

Não é preciso você insistir; acredito sem problema que ganhar dinheiro não seja seu propósito principal. Se fosse, você já teria tomado outra direção. Mas isso não significa que você não possa se perguntar quanto custarão seus estudos e se esse é um caminho que, um dia, poderia lhe garantir uma subsistência digna. Então, vamos lá.

A formação de psicoterapeuta implica uma faculdade de cinco a oito anos. A isso, dependendo da orientação que você escolher na prática da psicoterapia, soma-se um treinamento, que, em muitos casos, começa pelo exercício de se submeter, como paciente, à própria disciplina ou arte que você pretende exercer um dia.

Por exemplo, se você escolher a psicoterapia analítica, sua análise pessoal será de duas sessões semanais no mínimo (o ideal seria de três a cinco) durante um período que dificilmente será inferior a sete anos. Calculando por baixo o valor médio da sessão, a análise de um candidato custa como um apartamento.

E, de fato, há pessoas que começam sua formação quando recebem uma herança ou que vendem um imóvel para se formar. Gastar uma herança ou parte dela em psicanálise é engraçado: para se libertar do peso dos afetos da infância, alguém gasta justamente um dinheiro que vem quase sempre acompanhado de exigências, bênçãos, maldições e outras condições implícitas (ou inconscientes), as quais representam ou expressam boa parte dos afetos da infância.

Um aparte. O destino das heranças, grandes ou pequenas, é quase um critério diagnóstico. A gente pode deduzir a qualidade e o tamanho da neurose infantil de cada um a partir de como ele ou ela conseguem lidar com a herança que veio dos pais. Há quem mal consegue tocar no que recebeu. Há quem é atormentado pela missão de transmitir tudo para a geração seguinte. E há quem tem pressa de dissipar o patrimônio. Poucos conseguem realmente se apoderar do que receberam.

Voltando ao nosso tema, o gasto com o treinamento básico talvez seja apenas a ponta de um iceberg.

Disse que uma análise de formação dura em média sete anos. De fato, ela nunca acaba. Freud sugeria que qualquer analista, periodicamente, voltasse a se analisar por um tempo. E não é um pedido extravagante nem excessivo: por uma espécie de inércia, o terapeuta que nunca volta para sua própria terapia tende a se transformar numa espécie de Buda: um velho sábio benevolente que parece sobretudo concordar com o dito senso comum. É legal, mas é para isso que servem os amigos, os parentes e os padres. Não é disso que se trata numa psicoterapia.

Por exemplo, o amigo querido e a prima generosa, diante de nosso desespero, tentarão produzir alívio: "Não se preocupe, você encontrará uma solução, tudo vai dar certo". Hein? Um terapeuta tem pouquíssima confiança na fatalidade do bem ou numa boa intenção suprema que trabalharia no mundo. Ele sabe também que a gente pode encontrar mais alívio na certeza de que tem razões para tudo dar errado do que na ilusão de um final feliz.

Além das terapias pessoais periódicas, o terapeuta está sempre em reciclagem: congressos, supervisões individuais e coletivas, seminários etc. – todos pagos (às vezes, caros). Acrescente a isso a compra incessante de livros e a assinatura das principais revistas de sua orientação. E considere o tempo que será dedicado à leitura e ao estudo dos ditos livros e revistas: esse tempo, considerável, será subtraído do exercício clínico remunerado.

Um exemplo. Eu me tornei membro da École Freudienne de Paris em 1975, quando também comecei a atender no meu consultório. Em 1978 ou 1979, eu ensinava como "chargé de cours" no Departamento de Psicanálise da Universidade de Vincennes (Paris VIII). Abriu-se uma vaga temporária (por um ano) de professor assistente (o que significaria uma dedicação maior e um salário mensal, ou seja, uma remuneração não por carga horária). O Departamento me encorajou a me candidatar. Mas eis que o Ministério (ou a universidade, não sei mais) me respondeu que infelizmente eu não podia ser nomeado porque já exercia a profissão de psicanalista, como constava na minha declaração de impostos, enquanto o cargo vacante previa uma remuneração que, por lei, não poderia acumular com outra fonte de ganhos. Eu não desisti: escrevi uma longa resposta detalhada (com contas, recibos etc.) explicando o que significava se estabelecer como psicanalista e por quê, embora eu atendesse um número considerável de pacientes por um total de trinta horas semanais ou mais, meu consultório não podia ser considerado como uma fonte de renda.

Documentei duas supervisões por semana, a continuação de minha análise (quatro vezes por semana), a anuidade da École, os Congressos e as Jornadas, livros, assinatura de revistas de psicanálise etc. Tudo isso era igual ou superior ao que eu ganhava do conjunto de meus pacientes. Ou seja, eu ainda trabalhava só para me formar.

Minha carta convenceu a administração, a qual achou verossímil que, três ou quatro anos depois de eu ter começado e declarado aos impostos minha atividade de profissional liberal, eu podia ser considerado como alguém ainda em formação – e numa formação custosa.

Justamente, quanto custou minha formação? Antes da faculdade, eu me sustentava com dificuldade: sonhava em ser escritor e fotógrafo, traduzia romances policiais do inglês para o italiano e tentava vender minhas fotografias. Parei de trabalhar para cursar uma faculdade (que era pública, a Universidade de Genebra, na Suíça). Inicialmente, meus pais me ajudavam, e eu arredondava dando aulas de italiano e inglês. Mais tarde, a situação se inverteu: com uma bolsa para o esporte, eu me sustentava, e meus pais arredondavam. Depois da primeira graduação, a própria universidade me contratou para dar aulas na Escola de Tradução e Interpretação. Logo a situação melhorou: tornei-me professor assistente na Faculdade de Letras. Mas meu salário era totalmente insuficiente para pagar minha análise (que, além do mais, acontecia em Paris, enquanto eu ensinava em Genebra). Economizava com quase tudo (viajava noites inteiras sentado na segunda classe, morava na casa de amigos variados em Genebra). Mesmo assim, sem a ajuda substancial de meus pais, minha formação teria sido impossível.

Meu primeiro consultório era o pequeno apartamento no qual morava. A calefação era uma estufa a carvão, e eu dormia no sofá da sala, que servia como sala de espera.

Em suma, por seis ou sete anos depois do fim da faculdade, embora eu atendesse trinta horas por semana e ensinasse na universidade, eu não ganhava o suficiente para sequer pagar a minha formação.

Desde então, nada mudou: a formação para se tornar psicoterapeuta continua longa e cara – no caso das psicoterapias ditas dinâmicas (que tratam dos conflitos internos), como a psicanálise, pior ainda. Atendi em supervisão, durante um bom tempo, uma psicóloga que não dispunha de heranças ou outras riquezas familiares e pagou sua análise e sua formação psicanalítica se prostituindo. Lembro que me perguntei, na época, se essa fonte de renda pouco habitual não comprometia o processo de formação. Concluí que não e que qualquer dúvida que eu tivesse era fruto de um estranho preconceito moralista, como se "logo" um psicanalista não pudesse nascer no mesmo lugar em que todos nascemos, entre fezes e urina.

Mesmo quando a análise pessoal termina, e a formação, não digo acaba, mas arrefece, o tempo para a consolidação de um consultório é imponderável. De fato, não há garantia que essa consolidação aconteça um dia. A receita do sucesso de um psicoterapeuta na profissão liberal é uma mistura de competência e experiência com (impossível não admitir) uma dose de sorte, traquejo e charme pessoal.

É possível (e até frequente) que, durante toda sua vida profissional, um excelente psicoterapeuta precise completar sua renda com uma outra atividade (ensino, prática da psiquiatria, do coaching, da medicina etc.: atividades que são consideradas por ele mesmo como "bicos").

Esses retornos profissionais e financeiros incertos e lentos contrariam, obviamente, as expectativas de quem se formou (e de seus pais, se eles ajudaram).

Isso talvez aconteça com todas as profissões liberais, em que o processo de formação deságua na espera de um reconhecimento social que, às vezes, tarda ou falha.

De qualquer forma, convenhamos: é difícil aguentar mais de dez anos de engajamento assíduo e de gastos sem nenhuma garantia de que o esforço se torne rentável. Por isso mesmo, esta recomendação: uma formação de psicoterapeuta deveria ser sustentada não tanto pelo projeto de se tornar psicoterapeuta, mas pelo próprio interesse no processo de formação.

Em outras palavras, a formação para a profissão de psicoterapeuta é tão intensa, longa e dispendiosa que, para aguentar sua duração indefinida, é necessário encontrar nela um prazer.

Consequência e prova desse prazer, ainda hoje pratico turismo psicoterapêutico. E recomendo a todos.

Se, numa viagem, permaneço um certo tempo (a partir de, sei lá, quinze dias) na mesma cidade, procuro um terapeuta, se possível de uma orientação diferente da minha – por exemplo, um junguiano, um psicanalista existencial, um comportamental, um culturalista, e peço para ser atendido intensivamente, a cada dia (sempre consigo encontrar uma demanda autêntica, uma questão, uma queixa que eu possa levar ao terapeuta). Essas terapias concentradas foram, muitas vezes, o sal de minhas viagens ao exterior. Quando isso acontecia numa cidade que eu não conhecia e quando a terapia funcionava, eu ficava com a impressão de que, ao descobrir a nova cidade, eu descobria mais algum território de mim mesmo.

Outra consequência do prazer no processo de se formar: é frequente que uma terapia de formação se torne, se não eterna, ao menos difícil de ser terminada.

Antes de levantar questões cabeludas sobre o que seria ou deveria ser o fim de uma terapia de formação, é bom lembrar que uma terapia é antes de mais nada uma experiência extremamente interessante, viva e, em muitos momentos, prazerosa. Há um prazer na descoberta, na possibilidade de mudar, na sensação de autonomia conquistada e, enfim, na própria cooperação com o terapeuta. Falou-se e fala-se bastante, sobretudo entre os lacanianos, de uma espécie de tristeza no fim de uma psicanálise. Fora qualquer outra consideração, eu me lembro de que, quando minha análise terminou, vivi um verdadeiro luto daqueles encontros quase cotidianos com alguém que eu percebia como o aliado quase incondicional de desejos que eram meus e que eu mesmo sequer suspeitava que fossem meus.

É difícil terminar uma psicanálise porque, por mais que ela possa ser penosa, ela sempre vem com a alegria da descoberta de si. E suspeito que essa constatação valha para todas as orientações terapêuticas.

Abçs.

BILHETES

> Você me pergunta se, em suma, uma vez feitas as contas de quanto custa uma formação, deveria levar em conta ou não as expectativas de seus pais.
> Não sei; só considere que uma das (boas) razões pelas quais se faz uma psicoterapia é para não organizar a vida da gente em função das expectativas familiares — ou seja, para poder inventar uma vida que não seja apenas a que nossos pais desejaram para nós.

> Você me pede para dizer mais sobre como é que uma terapia se torna ou se mantém interessante. Acho mesmo que uma terapia deveria ser a coisa mais interessante que acontece na vida do paciente naquele período. O interessante tem a ver com duas coisas: com o conteúdo (geralmente não há nada mais interessante para um indivíduo do que o enigma de seu próprio desejo) e com o foco, ou seja, com a assiduidade e a intensidade da terapia. Na época de Freud, as análises duravam muito menos do que hoje, às vezes não passavam de seis meses. Mas era um tempo dedicado só à cura: cinco ou seis sessões por semana, em períodos durante os quais o

paciente tirava férias da vida, por assim dizer (parava de trabalhar e não tomava nenhuma decisão importante): ele não se envolvia em nada que não fosse a terapia. Era um investimento enorme, mas por um tempo limitado de antemão.

Como chegamos a terapias (mesmo psicanalíticas) de uma sessão por semana (mas por tempo indeterminado)? Será que é nossa covardia, o medo de que os pacientes recuem e desistam, que nos faz baixar as condições mínimas para que a terapia tenha todo seu efeito? Ou será que é o ritmo diferente da vida hoje? Um colega para quem coloco essa pergunta me responde que nenhum paciente encararia o trânsito de São Paulo cinco vezes por semana...

5. O QUE DIZ A FAMÍLIA?

Cara amiga,

Você cita meu último bilhete: a psicoterapia serve para "poder inventar uma vida que não seja apenas a que nossos pais desejaram para nós". E logo você me questiona: "Então, a psicanálise é contra a família?". A resposta exata é: em termos. Explico.

Qualquer família acolhe e cria seus rebentos num emaranhado de desejos, medos, esperanças, rivalidades, ciúmes, amores, ódios, indiferenças piores que o próprio ódio e, claro, com expectativas explícitas ou silenciosas de pais e outros antepassados (próximos e distantes).

Da família e de como ela nos acolhe dependem alternativas cruciais: será que nos sentiremos bem-vindos ao mundo? Cresceremos estupidamente convencidos (ou não) de sermos únicos e superiores a todos os outros? Teremos uma vontade básica e clara de viver ou lutaremos a cada dia para inventar uma razão para continuar? Saberemos amar alguém ou não? E saberemos deixar que os outros nos amem, se isso acontecer?

Da família e dos anos de nossa criação também derivam nossas fantasias, nossos desejos e nossa defesas contra algumas fantasias e desejos.

A família, em suma, é o teatro de nossa formação decisiva. Inevitavelmente, a família de cada um de nós é também o caldo inicial de nossos sofrimentos psíquicos adultos. As neuroses, na grandíssima maioria dos casos, são (ao menos em parte) isso: as consequências dos percalços do quadro familiar no qual fomos criados. Claro, os colegas da psicologia da Gestalt, por exemplo, dirão que a vivência do sujeito adulto é também capaz de adoecê-lo. E concordo com eles. O sofrimento psíquico não é só um efeito da infância, mas eu considero que ele sempre é "também" da infância.

Reconhecer isso não significa ser "contra" a família. À diferença do que acontece com os rebentos dos outros mamíferos superiores, nossas crianças nascem muito prematuras: levamos anos para chegar a uma autonomia que permita nossa sobrevivência. Sem os cuidados e a assistência da família, a continuação de nossa espécie seria impossível.

Essa longa convivência forçada é ao mesmo tempo uma bênção e uma praga. É uma bênção porque ela nos mantém em vida e nos dota de uma grande capacidade de entender e interpretar relações e afetos complexos – o que nos ajuda a nos orientarmos na vida adulta. Mas é também uma praga, porque somos levados a repetir eternamente os padrões dessa "complexidade" inicial que nos formou: nossos sintomas de adultos parecem ser, quase sempre, uma continuação da nossa infância.

Por essa razão, não faltam utopistas que sonhem com o fim da família. Houve, ao longo da história, repetidos projetos de criar crianças coletivamente, em creches do Estado, para que crescessem filhos e filhas do partido ou da nação – e não de um núcleo familiar. Conheci comunidades hippies dos anos 1960, em que propositalmente ninguém deveria saber quem era o pai de qual criança, e a criação dos rebentos era a responsabilidade de todos, de forma que, em médio prazo, a própria identidade da mãe seria, de alguma forma, esquecida. Pois bem, essas tentativas, em geral, deram lugar a neuroses parecidas com as que qualquer um herda de sua família tradicional – quando não piores.

É bem provável que não exista uma maneira de criar nossos descendentes, ou seja, simplesmente de assisti-los para que cheguem até sua autonomia, sem que o processo, de um jeito ou de outro, molde a personalidade deles para sempre. Também é provável que os polos fundamentais da família (o irmão e a irmã rivais, a mãe que alimenta e satisfaz ou frustra, o pai que proíbe etc.) sejam polos com os quais é indispensável se relacionar para crescer. E, com ou sem a instituição da família, eles estarão presentes e produzirão algum tipo de neurose próxima das que a família tradicional produz.

Assim como não tem família ideal (com ou sem margarina na mesa do café da manhã), também não há, aparentemente, instituições diferentes da família que possam criar e produzir humanos ideais.

A família, em suma, até que provem o contrário, é patógena (produz neurose) e insubstituível. O que não significa que ela não possa ser, digamos, contida em seus piores efeitos. As terapias familiares existem para isso; nelas, trata-se de "melhorar" o emaranhado de relações e de afetos que fazem da família a principal fonte de sofrimento psíquico para a maioria de seus membros (embora cada membro de uma mesma família sofra do seu jeito singular). Nessas terapias (que são conduzidas por terapeutas especializados) a família inteira é atendida – nunca um membro só.

Agora, no relato dos nossos pacientes, a família não deixa de ser uma espécie de antagonista. Pois, espontaneamente (e em geral com uma certa razão), eles consideram que seriam curados de seu sofrimento neurótico se conseguissem deixar de ser os herdeiros forçados de sua infância.

Por isso tudo, aliás, acho sempre um pouco ridículos os políticos e/ou religiosos que defendem a família como se fosse um valor em si e, especificamente, um valor moral. O que significa defender a família como valor moral?

Como já disse, a família tem a tarefa básica de proteger a vida do rebento humano até ele conseguir fazer isso sozinho. Assim, a família tende a se atribuir também a tarefa de educar seus rebentos. Nisso, ela é um instrumento de reprodução social. Se a gente dá comida para as crias, ao menos se pede que, quem sabe em troca, elas pensem parecido com a gente.

Agora, os pais acham que querem criar os filhos como cópias de si: mesmas crenças, mesmos valores etc. Na verdade, eles são sempre mais conservadores do que isso: os pais querem criar os filhos como cópias do que seus próprios pais (os avós da criança) teriam esperado deles (os pais), mas que eles não conseguiram ser. Ou seja, cada geração tenta educar seus rebentos para eles realizarem os sonhos frustrados da geração anterior. Portanto, se você quer manter a ordem estabelecida, seja ela qual for, defenda a família como um valor – é o que fazem os regimes totalitários e autoritários.

Em geral, a família é promovida como valor por ideologias que querem conservar e reproduzir o mesmo mundo.

Muitas vezes, a família é inimiga das ideologias que querem mudanças. Se você quiser promover algum tipo de transformação no mundo, é preciso autorizar os filhos a desobedecerem aos pais, a serem diferentes de seus pais.

Por outro lado, uma vez que você conseguiu a mudança desejada e que suas ideias se tornaram dominantes, você passará a valorizar a família, para que as coisas não mudem novamente. Um bom exemplo disso é a difusão do cristianismo.

Como sabe qualquer leitor dos Evangelhos, a família não é um valor cristão. Ao contrário. Nos Evangelhos, os discípulos são encorajados a seguir o Cristo sem se preocupar em respeitar a vontade e as tradições de suas famílias.

Entre o terceiro e o quarto século depois da morte de Cristo, o cristianismo torna-se progressivamente a religião dominante e logo oficial do Império Romano.

Imediatamente, ele começa a valorizar a família como se fosse um "valor cristão" – o que nunca foi. E a coisa continua até hoje: os cristãos defendem a família como se fosse um valor cristão, quando, de fato, ela é apenas um valor para qualquer ideologia dominante que lute para se manter dominante.

A família, em suma, é o que inventamos de melhor para garantir a sobrevivência dos rebentos e da espécie; ela é também uma instituição que tende a perpetuar ordem social e ideologia; nisso, ela se choca com os anseios de autonomia do indivíduo (e sobretudo do indivíduo moderno).

Com isso, a família é também o teatro principal do conflito, sempre presente na subjetividade moderna, entre obediência e autonomia.

A família ideal, na modernidade, seria aquela que renuncia à sua função reprodutora do mesmo, ou seja, aquela que educa para a autonomia e a desobediência. É uma tarefa quase impossível, que é resumida pelo duplo vínculo paradoxal da pedagogia de nossa época: "Seja autônomo!" – se obedeço, decidirei por ter sido mandado, então não serei autônomo. Por esse caminho, os adolescentes, aliás, não sabem mais o que inventar para marcar que eles decidiram por conta própria. E esse "por conta própria" é sempre incerto: até manifestações extremas de liberdade são, muito frequentemente, as realizações de sonhos frustrados e esquecidos dos pais. Assim, acontece que um pai advogado se desespere porque a filha quer ser surfista – esquecendo-se de que até hoje ele lamenta o dia em que voltou de um intercâmbio na Austrália para entrar na faculdade. Ao se lembrar disso, aliás, o tal pai afirma que a filha não teria como saber isso, que ele nunca contou. Nota: a família não tem segredos: nela, as verdades circulam, estão no ar.

O conflito entre autonomia do desejo e família é quase sempre reavivado no trabalho psicoterapêutico. Afinal, os pacientes procuram uma chance de escapar um pouco (sempre só um pouco) ao destino que lhes é reservado por sua história familiar. E a psicoterapia, em geral, é aliada da nossa vontade de mudança – aliada da nossa liberdade.

Mas não por isso pode-se dizer que o trabalho psicoterápico seja "contra" a família, até porque a liberdade só se descobre e se exerce "contra" – quem fugiria de casa se não tivesse uma casa da qual fugir?

Abçs.

BILHETE

Você estranha que eu e os psicoterapeutas em geral (suponho) não tomemos posições mais decididas – em particular, contra a família. "Afinal, se o sofrimento vem ao menos em parte (como você diz) da família, por que não atacar sua autoridade?"

Você se pergunta, então, se toda psicoterapia não é uma tentativa de "colocar panos quentes" sobre contradições e conflitos, com a consequência de que nada nunca mude radicalmente.

Essa questão era muito presente quando eu me formei – que era uma época em que se falava bastante em Revolução. Naqueles tempos, a psicanálise era criticada com força por alguns marxistas, um pouco por ser uma prática cara e "elitista" e mais ainda por não ser um projeto de transformação do mundo.

Se eu "curo" alguém profundamente infeliz com as condições concretas de sua vida, no fundo, bem ou mal, eu vou adaptá-lo ao mundo no qual ele vive, enquanto seria "melhor" que a insatisfação dele fosse canalizada para transformar o mundo. Enfim, é melhor fazer uma terapia ou fazer a revolução?

E (pergunta menos primária do que parece à primeira vista) será que quem faz terapia não deixa de fazer a revolução? Será que, a cada psicanalisado, o mundo perde um revolucionário possível ou potencial?

Vou voltar ao tema na carta 10, mas, desde já, reconheço que há algo legítimo nessa crítica. Não seria errado dizer que qualquer psicoterapia inventa jeitos de o indivíduo conviver com o mundo da maneira menos custosa possível. Nesse sentido, qualquer psicoterapia "adapta" um pouco o indivíduo à realidade assim como ela está.

Além disso, a psicanálise, em particular, não é muito otimista em matéria de mudança social. Ela tende a pensar como Tomás de Aquino, quando ele conta que, em Siracusa, enquanto todos desejavam a morte do tirano Dionísio, havia uma velhinha que rezava para que Dionísio vivesse mais tempo que ela. O tirano, informado, perguntou-lhe por que razão ela fazia isso. E a velhinha respondeu: "Quando eu era rapariga, nós tínhamos um tirano muito cruel e eu desejava a sua morte. Quando ele foi morto, sucedeu-lhe um que era um pouco mais cruel que ele. Eu também estava ansiosa por ver o fim do seu domínio, mas então tivemos um terceiro tirano, ainda mais cruel. Este eras tu. Por isso, se tu fores levado, um pior vai suceder-te no teu lugar" (De Regno I 6).

Nenhuma psicoterapia alimenta perspectivas de mundos melhores. Mas confesso que, justamente durante minha formação, passei um tempo planejando escrever um romance que aconteceria num mundo chamado "Analísia", em que todos, desde crianças, seriam analisados e nunca parariam de se analisar. O que mais me divertia era imaginar os diálogos e as interpretações constantes. Minha previsão era que seria uma utopia negativa, ou seja, que ninguém aguentaria viver em Analísia. Mesmo assim, eu achava (e ainda acho) que o exercício de examinar constantemente as nossas motivações (conscientes e inconscientes) talvez produzisse uma sociedade menos boçal. E essa seria uma mudança social significativa. Você perguntará: Como?

Primeiro uma definição: boçal, para mim, é quem se preocupa em obrigar todos os outros a seguir as regras de conduta que ele acha certas. Qualquer terapeuta sabe que isso acontece sobretudo quando um indivíduo é ele mesmo incapaz de seguir sua própria regra. Ou seja, a vontade de mandar nos outros aparece quando não conseguimos mandar em nós mesmos. Ela aparece e nos torna boçais.

Por exemplo, alguém se declara contra a homossexualidade como prática e como desejo. É um pequeno mistério, não é? Por que alguém seria "contra" práticas e desejos que não lhe dizem respeito e que se realizam entre adultos em consenso?

Esse é o aparente e frequente mistério da repressão inútil na vida política: uma vontade de censurar ou proibir comportamentos, desejos ou pensamentos que deveriam ser irrelevantes para o autor das proibições.

Geralmente, os censores, nesses casos, declaram censurar para seguir seus "princípios", morais ou religiosos, o que é revelador: eles censuram (precisam censurar) os outros para eles (os censores) seguirem seus próprios princípios. Literalmente: eles querem ou precisam proibir aos outros o que eles não conseguem proibir a si mesmos. Eles não conseguem seguir seus princípios, e por isso tentam impô-los aos outros.

Esse é o funcionamento básico da boçalidade: invadimos a liberdade do outro porque é difícil controlar nosso desejo. Quero reprimir a homossexualidade ou "curá-la" porque tenho desejos homossexuais que receio não controlar. Quero impedir a própria existência de transgêneros porque, sei lá, tenho e temo fantasias sexuais de gozar como se eu fosse do outro sexo.

E é verdade que um exercício assíduo da psicoterapia dinâmica evitaria uma boa parte dessa boçalidade, instaurando a regra de um "viva seus desejos ou, se você não conseguir, tudo bem, limite-se, reprima-se, mas deixe os outros viverem seus desejos como lhes parece certo".

Só não sei se isso é um programa de mudança social suficiente para você.

# 6. O PRIMEIRO PACIENTE

Minha jovem colega,

Imagino que você seja recém-formada (o que não significa apenas recém-saída dos bancos de sua faculdade, mas disso falaremos outra hora), prestes a começar a atender seu primeiro paciente. Você poderia perder coragem, perguntando-se: mas quem me escolherá como terapeuta, com tantos profissionais experientes e medalhões na praça? Um *kamikaze*?

Pois é, deixe que lhe conte a história de meu primeiro paciente.

Resolvi me tornar psicanalista em 1974. Antes daquela data, eu ensinava (teoria literária) na Universidade de Genebra, onde havia terminado minhas graduações. Não tinha a menor ambição ou desejo de me tornar psicanalista. Mas, há anos, passava quatro dias por semana em Paris, para me analisar. Da psicanálise, eu esperava que curasse minhas assíduas angústias e uma gastrite crônica que, desde a adolescência, fazia do Buscopan meu companheiro mais fiel.

As angústias se amenizaram, e a gastrite sumiu. Por isso mesmo, a psicanálise começou a me interessar seriamente; passei a frequentar, além do seminário de Lacan (a missa semanal parisiense), cursos e grupos de estudo da *École Freudienne de Paris*, que era a instituição à qual pertencia meu analista. Mesmo assim, seguia pensando que meu futuro seria pesquisar, ensinar e escrever, certamente não clinicar.

Em 74, então, recebi uma proposta que me acuou. Alguém tinha gostado de um livro que eu acabara de publicar e que era uma interpretação da grande mudança na pintura francesa de Courbet a Duchamp. Esse alguém (Yves Velan, um escritor e homem fora do comum, que infelizmente perdi de vista) ensinava numa universidade americana e propôs que me candidatasse a um posto que coincidia com minhas qualificações. As grandes decisões da minha vida sempre foram assim, na hora em que os ingredientes chegam na boca do funil. Aceitar a proposta americana significaria impulsionar de vez uma carreira acadêmica que, de fato, eu já começara, mas significaria também deixar Paris, minha análise e a *École Freudienne*. Pois é, decidi, de repente, que a vida acadêmica não era mais o que eu queria. A psicanálise me interessava mais.

Na *École Freudienne de Paris*, para que um membro começasse a atender, não era prescrito nenhum exame ou entrevista específicos. Mas era preciso que, quando alguém se considerasse pronto para receber seu primeiro paciente, anunciasse a decisão ao seu analista. O dito analista não daria nenhuma autorização, oral ou escrita que fosse; era apenas esperado que ele se opusesse, caso necessário.

O sistema parecia fácil demais, sem currículo para ser preenchido e sem entrevistas de seleção. Na realidade, era assustador, pois forçava cada um a encarar a responsabilidade de sua decisão sem um carimbo que o autorizasse. A ideia do consenso tácito do analista fazia a festa de alguns e o drama de outros. Os candidatos histéricos eram sempre convencidos de que seu analista mal tinha conseguido esconder o júbilo; os candidatos obsessivos nunca paravam de perguntar-se: será que ficou calado porque acha que estou pronto, porque não ouviu direito, porque considera apenas que não serei uma calamidade, porque acha que serei, mas não quis me magoar ou porque não soube o que dizer?

O fato é que, quando lhe comuniquei que começaria a atender pacientes, Serge Leclaire, meu analista, não disse nada. E lá fui eu.

Na época, com o salário de professor assistente da Universidade de Genebra (magro, mas em francos suíços), pagava minhas viagens (trem de segunda classe), minha análise e o aluguel de um apartamento de quarto e sala em que morava em Paris. Em Genebra, me hospedava na casa de amigos.

A transformação de meu quarto e sala do 32, *rue* St Paul, deu nisto: a sala se tornou sala de espera, e o pequeno quarto se tornou consultório. À noite, a sala de espera transformava-se em quarto, graças a um sofá-cama. Comprei minha poltrona numa liquidação da Samaritaine; a poltroninha para os pacientes, achei no mercado das pulgas; a base do divã, confesso que achei na rua; um amigo me deu um colchão que lhe sobrava; e uma amiga costurou uma colcha de retalhos que dava ao conjunto um aspecto tipo Freud dos pobres. A mesa (que ainda carrego comigo), encontrei na demolição de um bar, perto de casa. Estava pronto, só faltavam os pacientes.

Meu primeiro paciente foi indicado por uma amiga, Nicolle Sels, que era analista e bibliotecária da *École Freudienne* e que confiava em mim como futuro analista pela razão seguinte: ela sabia que, por mais que a psicanálise me houvesse conquistado, eu continuava apaixonado por muitas outras coisas que me seduziam tanto quanto e sobre as quais conversávamos assiduamente, repetindo cappuccinos num bar da *rue* Gay-Lussac. Falávamos com o mesmo prazer dos romances de Barbara Cartland ou do último prêmio Goncourt, das personagens mais excêntricas do século XVII (que era meu século preferido), da história da psiquiatria, de crimes verídicos, romances policiais e por aí vai.

O critério que, aparentemente, valeu para que ela me encaminhasse um paciente vale hoje para mim: na hora de encaminhar alguém, prefiro os analistas cuja curiosidade para com o mundo, a vida e a cultura se estendam além das quatro paredes do consultório.

Quando chegou o dia da primeira entrevista do primeiro paciente, eu tinha uma preocupação dupla: queria que o apartamento tivesse cara de consultório, mas também queria que não tivesse cara de consultório no dia de sua inauguração. Afinal, eu pensava, qual paciente gostaria de descobrir que o analista em que ele vem depositar uma esperança de cura é um novato absoluto? Cuidei dos detalhes: uma certa desordem de papéis e notas na mesa, uma pequena desarrumação do acolchoado do divã, para mostrar que alguém já deitara ali, três ou quatro bitucas no cinzeiro (na época não só eu, mas a França inteira fumava), para mostrar que, naquela tarde, já me debruçara sobre outros destinos cabeludos.

Esse primeiro paciente se analisou comigo durante sete anos. Era um jovem psiquiatra, que se tornou analista. Alguns anos depois de ele terminar sua análise, quando eu já era um analista reconhecido e estabelecido, nos encontramos, por acaso, num congresso e conversamos um pouco. De repente, ele me perguntou: "Eu fui seu primeiro paciente, não fui?".

Hoje, responderia imediatamente a verdade. Na época, eu ainda me preocupava em defender a aura de mistério atrás da qual os terapeutas gostam de se esconder, sob pretexto de que o paciente precisa idealizar seu terapeuta. Portanto, fiquei perplexo e calado, com aquela cara de "Há?!" que os analistas usam para fazer pensar que, primeiro, eles já estariam vendo a razão verdadeira da pergunta que está sendo feita e que, segundo, essa razão (desconhecida por quem pergunta) é infinitamente mais interessante do que a resposta que eles deveriam dar. Mas meu ex-paciente (aparentemente sua análise tinha funcionado) não deixou por menos e continuou: "Acho mesmo que fui seu primeiro paciente; não sei se você sabe, mas é o que eu tinha pedido para Nicolle, que me deu seu endereço na época. 'Quero um analista', eu lhe havia dito, 'de quem serei o primeiro paciente.' E acho que ela respeitou meu pedido. Queria ser o primeiro paciente porque pensava que, como meus problemas eram meio banais, só um analista debutante me escutaria com toda sua atenção". Gostaria de poder dizer que ele estava enganado, que, durante todos esses anos, escutei meus pacientes com a mesma paixão, vontade de entender e de dizer a coisa certa que eu sentia no começo daquela primeira análise. E é verdade que, até agora, consigo quase sempre me surpreender com cada história. Afinal, se um terapeuta não enxergasse (mais) a intensidade e a originalidade do drama e da tragédia por trás da eventual banalidade de cada vida que lhe é contada, ele estaria precisando de reciclagem urgente. Mas admito o seguinte: lembro-me do primeiro sonho daquele paciente em cada detalhe; não posso dizer a mesma coisa de todos os primeiros sonhos dos pacientes que seguiram. Claro, nada garante que a voracidade da escuta e uma atenção exacerbada sejam as melhores conselheiras para um terapeuta. Além disso, dificilmente o desejo de ser o primeiro paciente de seu analista é apenas um jeito de garantir uma escuta especial e atenta.

Meu paciente escondia de seus pais algumas escolhas de vida, que, se fossem conhecidas, lhe valeriam um repúdio. No mínimo, era o que ele imaginava. Não estranha que ele quisesse ser, de uma certa forma, o legítimo primogênito de alguém para quem ele poderia contar "tudo". A escolha de um terapeuta é sempre guiada por razões um pouco mais complexas e reveladoras do que o próprio paciente imagina.

Essa história deixa alguns ensinamentos: Nem sempre é verdade que os pacientes preferem terapeutas experientes.

Como os caminhos pelos quais um paciente coloca sua confiança num terapeuta são muitos, se não inúmeros, o mais simples talvez seja que nos contentemos em ser nós mesmos (não é preciso desarrumar colchas e deixar baganas nos cinzeiros).

A experiência certamente ajuda na conduta das curas, mas, de qualquer forma, seria bom que guardássemos sempre alguns elementos do espírito do debutante: a curiosidade, a vontade de escutar e, por que não, o calor de quem, a cada vez, acha extraordinário que alguém lhe deposite confiança.

Abç.

7. AMORES TERAPÊUTICOS

Caro amigo,

Você me perguntou: "O que eu faço, se me apaixonar por uma paciente?". E lhe respondi, laconicamente: "Será que é uma questão urgente?". Você replicou: "Desde o começo de minha formação, pratico (só de vez em quando, não se preocupe) um devaneio em que curo milagrosamente uma moça emudecida por sua loucura e, lógico, nos amamos para sempre". Depois disso, decidi levar sua pergunta a sério.

Talvez você se lembre de que, na minha primeira carta, falei um pouco da admiração, do respeito e, em geral, dos sentimentos que destinamos às pessoas a quem pedimos algum tipo de cura para nossos males.

Comentei que era bom que fosse assim, pois esses afetos facilitam o trabalho do terapeuta. E acrescentei que isso é especialmente verdadeiro no caso da psicoterapia, com a exceção de que, nesse caso, espera-se que o encantamento se resolva e acabe um dia. Sem isso, a psicoterapia condenaria o paciente a uma eterna dependência afetiva.

Repare que, às vezes, sentimentos negativos, como o ódio, permitem e facilitam o trabalho psicoterápico, tanto quanto o amor. Mas é certo que o amor é a forma mais comum dos sentimentos cuja presença assegura o começo de uma psicoterapia. Ou seja, é muito frequente que um/uma paciente se apaixone por seu terapeuta.

A psicanálise deu a essa paixão um nome específico: amor de transferência. O termo sugere que o afeto, por mais que seja genuíno, sincero e, às vezes, brutal, teria sido "transferido", transplantado. Ele se endereçaria ao terapeuta por procuração, enquanto seu verdadeiro alvo estaria alhures, na vida ou na lembrança do paciente.

Você já deve ter ouvido mil vezes: o amor de transferência, grande ou pequeno, é a mola da cura.

Primeiro, ele possibilita que a cura continue, apesar dos trancos e dos barrancos. Segundo, ele permite ao paciente viver ou reviver, na relação com o terapeuta, a gama de afetos e paixões que são ou foram também dominantes em sua vida; essa nova vivência, aliás, é a ocasião de modificar os rumos e o desfecho dos padrões afetivos que, geralmente, assolam uma vida, repetindo-se até o enjoo. Terceiro, ele pode, às vezes, ser o argumento de uma chantagem benéfica: o paciente pode largar seu sofrimento por amor ao terapeuta, para lhe oferecer um sucesso, para ganhar seu sorriso, para fazê-lo feliz. Esse terceiro caso apresenta alguns inconvenientes óbvios: o paciente que melhorar por amor a seu terapeuta nunca se afastará dele, pois parar de amar seria para ele largar a razão pela qual se curou, ou seja, voltar a sofrer como antes ou mais ainda. Você deve também ter ouvido mil vezes que um/uma terapeuta não pode e não deve aproveitar-se do amor do paciente ou da paciente. Você pode ter carinho e simpatia por seu/sua paciente, mas transformar a relação terapêutica em relação amorosa e sexual é mais do que desaconselhado.

Por quê?

Nota: para simplificar, no que segue, falarei do terapeuta no masculino e da paciente no feminino. Mas o mesmo vale seja qual for o sexo do terapeuta e seja qual for o sexo do paciente, incluindo os casos em que o sexo é o mesmo.

Um argumento que é usado tradicionalmente para justificar essa interdição é o seguinte: o afeto que uma paciente pode sentir por seu terapeuta é fruto de uma espécie de quiproquó. O terapeuta não é quem a paciente imagina. A situação leva a paciente a supor que seu terapeuta detenha o segredo ou algum segredo de sua vida e que, graças a esse saber, ele poderá entendê-la, transformá-la e fazê-la feliz. Ou seja, a paciente idealiza o terapeuta, e quem idealiza acaba se apaixonando. Conclusão: o apaixonamento da paciente é um equívoco. E não é bom construir uma relação amorosa e sexual sobre um equívoco. Se paciente e terapeuta se juntarem, a coisa, mais cedo ou mais tarde, produzirá, no mínimo, uma decepção e, frequentemente, uma catástrofe emocional, pois a decepção virá de um lugar que pode ter sido idealizado além da conta.

Esse argumento, na verdade, vale pouco. Explico por quê: a paixão de transferência é, de fato, igual a qualquer outra paixão. Em outras palavras, os amores da vida são fundados num quiproquó tanto quanto os amores terapêuticos. Quando nos apaixonamos por alguém, a coisa funciona assim: nós lhe atribuímos qualidades, dons e aptidões que ele ou ela, eventualmente, não têm; em suma, idealizamos nosso objeto de amor. E não é por generosidade; é porque queremos e esperamos ser amados por alguém cujo amor por nós valeria como lisonja. Ou seja, idealizamos nosso objeto de amor para verificar que somos amáveis aos olhos de nossos próprios ideais.

Então, se o amor de transferência não é muito diferente de qualquer amor, será que está liberado? Pois é, não está liberado: há outros argumentos contra, e são de peso; eles não se situam do lado do paciente (cujo amor é bem parecido com um amor verdadeiro), estão do lado do terapeuta.

Por que um terapeuta toparia a proposta amorosa de uma paciente? Por que ele se declararia disponível e proporia um amor quase irrecusável a uma paciente já seduzida pela situação terapêutica? Há três possibilidades.

1) A primeira é perfeitamente explicada no auto de fé do ex-presidente dos EUA, Bill Clinton, quando, em suas memórias recentemente publicadas, ele narra e tenta entender seu famoso envolvimento com uma estagiária da Casa Branca, Monica Lewinsky. Com notável honestidade e capacidade analítica, Clinton não justifica seus atos pelo transporte da paixão, mas declara que ele se deixou seduzir ou (tanto faz) que ele seduziu Lewinsky simplesmente "porque podia". Ele

acrescenta (admiravelmente) que, de todas as razões possíveis, essa é a pior, a mais condenável.

"Transar porque pode" não significa só transar porque é fácil, porque o outro é acessível. Significa transar pelo prazer de poder. É como se a gente gostasse de bater em enfermo porque isso dá a sensação de ser forte.

O consultório do terapeuta tomado por essa fantasia se transforma num templo (ou num quarto de motel), onde as pacientes são chamadas a participar de ritos que celebram a potência do senhor.

Esse abuso dos corpos produz estragos dolorosos, porque se vale de uma oferta generosa de amor: "Posto que você me ama, ajoelhe-se". É uma situação próxima à do abuso de uma criança, quando os adultos que ela ama e em quem confia se revelam sedentos de demonstrar sua autoridade pelas vias de fato, na cama ou a tapas.

Invariavelmente, o terapeuta deslumbrado pela descoberta de que ele "pode" age do mesmo modo com as pacientes com quem ele transa e com aquelas com quem ele não transa. A fantasia de abuso invade todo seu trabalho terapêutico, ou seja, ele não analisa nem aconselha, ele dirige e manda, pois ele goza de e com seu poder.

2) Mas há terapeutas, você me dirá, que realmente se apaixonam por uma paciente e até casam. Concordo. Aliás, essa é a segunda possibilidade.

O curioso é que, em regra, os analistas que se apaixonam pelas pacientes que os amam são recidivistas. Eles se casam com várias pacientes, uma atrás da outra. Um psicanalista famoso, de tanto casar com pacientes, ganhou o apelido "Divã, o Terrível".

Conheço as desculpas: a gente trabalha duro e não tem tempo para sair na noite, onde poderíamos encontrar uma companheira? Afinal, não é banal que as pessoas encontrem suas metades no ambiente de trabalho? Além disso, o terapeuta se apaixona por alguém que ele conhece (ou imagina conhecer) muito bem; essa não é uma garantia da qualidade de seus sentimentos? Pode ser. Mas resta uma dúvida, que se torna quase certeza à vista da repetição.

Esses psicoterapeutas ou psicanalistas que se juntam com verdadeiras séries de pacientes devem ser tão cativos da situação terapêutica quanto suas pacientes. Explico. A paciente se apaixona porque tudo a leva a idealizar seu terapeuta. O terapeuta deveria saber que é útil que seja assim, mas também deveria saber que, de fato, sua modesta pessoa não é o remédio milagroso e definitivo que curará os males de sua paciente. Ora, é provavelmente disso que ele se esquece. O terapeuta, seduzido pela idealização de sua pessoa, como o corvo da fábula, acredita no que diz o amor de sua paciente, ou seja, acredita ser a panaceia que tornará sua paciente feliz para sempre.

Generoso? Ingênuo? Nada disso, apenas vítima, por exemplo, de uma obstinada esperança de voltar a ser o bebê que, por um mítico instante, no passado, teria feito sua mãe absurdamente feliz.

A série continua porque a decepção é garantida. O terapeuta (como homem e companheiro) não é uma panaceia (ninguém é). A paciente com quem ele se casou, uma vez feita essa descoberta trivial, manifestará sua insatisfação e, com isso, fará a infelicidade do bebê caprichoso com quem se casou. Pronto, acaba o casamento. Entretanto, como disse, a esperança do terapeuta é obstinada; não é fácil desistir do projeto de ser aquela coisa que traz ao outro uma satisfação absoluta. Por que não tentar outra vez?

Os terapeutas recebem regularmente, em seus consultórios, os cacos desses dois tipos de desastres: o das abusadas e o das casadas e abandonadas por não se terem mostrado perfeitamente satisfeitas. São cacos difíceis de serem colados. A decepção amorosa da paciente é violenta: afinal, ela foi enganada por um objeto de amor ao qual atribuía poderes e saberes quase mágicos.

O pior desserviço desses desastres é que, de fato, eles impedem que as vítimas encontrem a ajuda da qual precisam. Frequentemente, ao tentar uma nova terapia, elas não param de esperar que se engate uma nova relação erótica (pois lhes foi ensinado, por assim dizer, que a cura virá de um amor correspondido com seu terapeuta). Outra eventualidade é que elas nunca mais consigam estabelecer a confiança necessária para que um novo tratamento se torne possível.

3) Existe uma terceira possibilidade para os amores terapêuticos. É possível que se apaixone por sua paciente um terapeuta que não queira apenas gozar de seu poder e que não seja aflito pela síndrome de fazer a "mamãe" feliz. E é possível que uma paciente se apaixone por seu terapeuta sem acreditar que ele seja o remédio para todos os seus males. Afinal, não é impensável que dois sujeitos, que tenham algumas boas razões de gostarem um do outro, se encontrem num consultório. Todos sabemos que um verdadeiro encontro é muito raro, e é compreensível que um terapeuta não faça prova da abnegação profissional necessária para deixar passar a ocasião. Mas, convenhamos, se esse tipo de encontro é tão raro, é difícil acreditar que possa repetir-se em série. Como diz o provérbio, errar é humano, perseverar é diabólico. Ou seja, pode acontecer uma vez numa vida. A partir de duas, a série é suficiente para provar que o terapeuta está precisando de terapia.

Abç.

BILHETES

Sua observação é correta: embora eu tenha especificado que os amores terapêuticos acontecem tanto com terapeutas homens como com terapeutas mulheres, é verdade que, em minha carta, para simplificar (foi o que eu disse), usei o masculino para "o" terapeuta e o feminino para "a" paciente. Não foi por acaso, você tem razão. Provavelmente, esses desastres acontecem mais entre terapeutas homens e pacientes mulheres do que entre terapeutas mulheres e pacientes homens. Mas não é, como você sugere, porque os homens "são sempre mais assanhados". A razão é outra: muitos homens, diferentemente das mulheres, acreditam terem sido, ao nascer, a única e inigualável razão da satisfação de suas mães. É isso que explica que os terapeutas sejam mais propensos a se oferecer a suas pacientes como panaceias amorosas.

Agora você quer que eu lhe diga, caso se apaixone por uma paciente, como você saberá se a coisa se enquadra no caso dois ou no caso três. Ou seja, como saberá se está se rendendo à raridade de um encontro amoroso excepcional ou se é apenas

o começo de uma série (que demonstraria que, na verdade, você se enganou um pouco de profissão). Pois é, além de esperar para ver se a coisa se repete, o único que poderia dizer seria seu analista. É por isso, aliás, que é sempre bom que um terapeuta, de vez em quando, volte a ser paciente.
Enfim, na dúvida, abstenha-se.

Você tem razão. Fui muito categórico. Quando um amor se realiza entre terapeuta e paciente, é possível e frequente, mas não é necessário, que o terapeuta esteja procurando sobretudo a satisfação narcisista de se perceber como sendo mesmo o que o ou a paciente está pedindo ao mundo.

Isso vale para o terapeuta galinha, que sonha em ser o Biotônico ou a "tiríaca", ou seja, o remédio para todos os males.

Mas há algo mais a considerar. Em toda terapia, os resultados são lentos e muitas vezes não reconhecidos pelo próprio paciente (pela família e pelos próximos, nem se fale). Se o terapeuta não for sustentado por falsas certezas narcisistas quase delirantes, a prática da terapia sempre será frustrante. Em longo prazo, os atendimentos se multiplicando, isso pode levar o terapeuta a se afastar da ortodoxia de sua disciplina, procurando atalhos, tentando novos caminhos... até chegar a ele mesmo se oferecer como uma cura quem sabe mais rápida e eficaz – por exemplo, como o amor que "curaria" a "carência" do ou da paciente.

Um exemplo divertido de afastamento da ortodoxia (por achar os resultados demasiado lentos) aconteceu comigo. Uma paciente minha, depois de longa análise, procurava um parceiro para a vida. Mas ou ela parecia escolher mal, ou não encontrava (um encontro é mesmo uma coisa rara). Um dia em que estava sozinho em Padova, para rever a Cappella degli Scrovegni, desci a via del Santo até a basílica e fui rever a tumba de Santo Antônio. De repente, diante da tumba do santo me surpreendi dizendo-lhe: eu fiz o que eu podia e sabia fazer, mas essa mulher merece encontrar alguém, você é Santo Antônio, o casamenteiro, dá uma força, vai.

Nota: eu sou agnóstico e Santo Antônio não tinha por que me escutar. Mas fui atendido. Vai saber.

8. FORMAÇÃO

Minha jovem amiga,

Você tem razão, falei (em minha primeira carta) dos traços de caráter que gostaria de encontrar num terapeuta, mas não disse nada dos caminhos pelos quais ele deveria formar-se.

Por exemplo, você me pergunta, que faculdade você recomendaria cursar? Medicina e psiquiatria ou psicologia clínica?

Na verdade, tanto faz, porque nem o psiquiatra nem o psicólogo clínico se formam para serem psicoterapeutas. Se você quer ser psicoterapeuta, o essencial de sua formação acontecerá depois da faculdade ou, quem sabe, durante seus estudos. De qualquer forma, se dará fora da academia.

E há, por isso, uma razão intransponível: uma peça-chave da formação de um psicoterapeuta é o tratamento ao qual ele mesmo se submete. E essa cura não pode ser uma demonstração pedagógica abstrata, não pode ser limitada a um fazer de conta durante o qual se transmitiria uma técnica. Ao contrário, espera-se que, nessa experiência, o futuro terapeuta se depare com a complexidade de suas motivações, sintomas e fantasias conscientes e inconscientes. Pois, para o terapeuta, não há melhor introdução à variedade do sofrimento humano do que a descoberta de que, em algum canto de seus pensamentos, ele pode encontrar palavras, lembranças, razões, visões e pensamentos parecidos com aqueles que afetam, agitam ou mesmo enlouquecem seus pacientes.

É óbvio que essa experiência por si só não forma um terapeuta. Desde o fim do século XIX, vem-se constituindo uma imensa biblioteca de depoimentos, pesquisas e construções teóricas sobre o sofrimento psíquico, as motivações humanas e os caminhos terapêuticos possíveis. Espera-se que um terapeuta conheça o essencial da tortuosa história dessas ideias, não por gosto erudito, mas porque essa história apresenta as respostas que nós, humanos e modernos, construímos para entender quem somos. Ela é, em suma, uma vasta patologia das racionalizações que somos capazes de inventar para explicar nosso mal-estar. Espera-se também que, nesse emaranhado, o terapeuta escolha um fio e o percorra detalhadamente, lendo e estudando.

Muito bem, você dirá, entendo facilmente que a própria análise ou terapia de quem está se formando não possa fazer parte de um curso universitário. Como seria avaliada, com que notas? E quem garantiria a absoluta confidencialidade das coisas ditas? Qual seria a qualidade da relação terapêutica, se ela for, ao mesmo tempo, uma espécie de exame?

Mas e o estudo dos textos, por que não seria responsabilidade de um curso universitário?

De fato, existem hoje mestrados em psicologia clínica e em psicanálise, nos quais esse estudo é proposto e realizado.

No entanto, a diversidade das orientações psicoterápicas pediria uma multiplicação de pós-graduações (só em psicanálise, seriam necessários cinco ou seis cursos diferentes). Além disso, de qualquer forma, o estudo universitário não é exatamente equivalente ao estudo proporcionado pelos institutos de formação. A compreensão dos textos não é a mesma. Há uma diferença relevante entre ler como estudante, que deve dar conta do que aprendeu, e ler como terapeuta em formação, que interpreta os textos a partir da experiência singular de sua própria terapia ou análise.

Por essas razões, no mundo inteiro, a formação do psicoterapeuta é proposta por instituições privadas, que inventam, cada uma de seu jeito, formas de ensino e de aprovação e reprovação compatíveis com esse estranho currículo, no centro do qual está a coragem do candidato que se questiona radicalmente, em sua terapia ou análise.

Anos atrás, o governo italiano foi pressionado pela classe médica a regulamentar a profissão de psicoterapeuta. A ideia dos médicos e psiquiatras que pediam essa legislação era definir oficialmente a psicoterapia como ato médico, podendo ser praticado legitimamente só por doutores em medicina. Com isso, os psicólogos e demais terapeutas não médicos estariam sob tutela, ou seja, pagariam para os médicos supervisões obrigatórias. O governo achou a proposta boa, examinou a questão e chegou à seguinte conclusão: nem médicos psiquiatras nem psicólogos recebem uma formação acadêmica que possa ser considerada suficiente para exercer a psicoterapia sem constituir perigo para a saúde mental do cidadão. A dita formação é administrada por instituições privadas de várias orientações. Portanto, foi constituído um conselho das instituições estabelecidas e reconhecidas, e esse conselho decide quem é habilitado ao exercício da psicoterapia.

O governo italiano agiu de maneira certa. Contudo, minha preferência é para a situação que vige hoje no Brasil e na maioria dos países, em que a prática da psicoterapia não é regulamentada. Claro, para quem procura um psicoterapeuta, seria simpático que um carimbo oficial garantisse que o terapeuta foi formado por uma instituição reconhecida. O problema é que isso implicaria que cada terapeuta se formasse inteiramente numa única instituição, da qual seria membro carimbado. Sumiriam na ilegalidade, portanto, os numerosos terapeutas e analistas, digamos assim, independentes, sem carteirinha de um partido só.

Formações unívocas, ligadas à doutrina de uma instituição só, ganhariam em rigor, mas perderiam em complexidade e em liberdade. A perda, a meu ver, seria maior do que o ganho.

Alguém me lembrará que vários institutos de formação psicanalítica não são doutrinários; ao contrário, eles cultivam a pluralidade. Concordo, e são os institutos que prefiro. Mas a liberdade da qual falo vai além disso. Por exemplo, acho que um pouco de formação em terapia cognitiva ou sistêmica seria útil para um psicoterapeuta motivacional. A grande maioria de meus colegas psicanalistas achará que essa afirmação é um disparate. Alguns, se eu fosse membro de sua instituição, levariam o caso ao comitê central para que tomasse providências. Parênteses: não é disparate nenhum; de fato, como aquela personagem de Molière, que falava em prosa e não sabia, até um psicanalista purista age como terapeuta cognitivo várias vezes por dia, só que não sabe.

Mas voltemos ao essencial desta carta.

Imagino que, nesta altura, você observe: se a formação acontece depois da faculdade, em instituições privadas, por que deveríamos escolher ou privilegiar a formação acadêmica em psiquiatria ou psicologia? Se eu quiser me tornar psicoterapeuta e estiver ainda na hora do vestibular, por que não escolheria qualquer faculdade que, quem sabe, me interesse mais? Sei lá, filosofia, direito, história ou matemática?

De fato, quase todas as instituições privadas que formam psicoterapeutas aceitam candidatos que não são nem psicólogos nem psiquiatras.

Mas meu conselho é o seguinte: se você decidir se tornar psicoterapeuta já no meio de sua vida, e sua formação acadêmica for diferente de psiquiatria e psicologia, não volte ao vestibular e aos bancos da universidade; simplesmente, comece sua formação na instituição de sua escolha. Não ser psiquiatra nem psicólogo não constitui um impedimento decisivo.

Mas, se você estiver decidindo se tornar psicoterapeuta na hora de escolher sua faculdade, escolha, sem hesitar, psicologia ou medicina e psiquiatria.

Pois seria errado pensar que, na formação de um psicoterapeuta, os currículos acadêmicos de psiquiatria e psicologia não adiantariam nada. Certo, só uma parte pequena do que você aprende na faculdade lhe será de alguma ajuda no seu trabalho futuro. Certo, sua formação efetiva começará, provavelmente, depois da faculdade. Mas, mesmo assim, há algumas boas razões para não desprezar os estudos de psicologia ou de psiquiatria.

As que são invocadas mais frequentemente são também as menos importantes. Referem-se a experiências e saberes que poderão fazer falta na sua formação de psicoterapeuta, mas que ambos, experiências e saberes, poderão ser encontrados de outro jeito.

Por exemplo, é indispensável que um psicoterapeuta tenha instrumentos diagnósticos para não confundir, se possível, uma amnésia histérica com o começo de uma arteriosclerose ou de um Alzheimer, e para se lembrar de que uma depressão pode ser o efeito de uma insuficiência de hormônio da tireoide. Na suspeita, é bom encaminhar o paciente para um *check-up* neurológico, vascular e endocrinológico.

É também indispensável que um psicoterapeuta tenha um conhecimento dos princípios ativos dos remédios psicotrópicos mais comuns, pois, embora ele não prescreva, lidará, em muitas ocasiões, com pacientes que precisam de medicação ou já estão sendo medicados. É importante poder colaborar com o psiquiatra que prescreverá, assim como é importante distinguir o efeito medicamentoso das mudanças que nada têm a ver com esse efeito.

É útil que um psicoterapeuta conheça os princípios diagnósticos do Manual Estatístico Diagnóstico adotado pela Organização Mundial da Saúde. Num mundo em que se viaja muito, não é raro que a gente receba pacientes que carregam consigo diagnósticos dos quais é bom entender como foram estabelecidos e o que eles significam. E não é raro que a gente deva encaminhar um paciente para um psiquiatra desconhecido num país onde não há terapeutas da mesma orientação que a nossa. Você não acha? Pois é, se um dia um paciente seu apresentar um surto agitado num hotel de Cingapura, tente explicar por telefone a um residente local em psiquiatria que seu paciente não é psicótico. Logo constatará que o DSM pode ser de grande ajuda.

Também é necessário, a meu ver, que um psicoterapeuta passe por uma experiência efetiva e consistente com pacientes psicóticos e, se possível, com toxicômanos. Os estágios clínicos universitários respondem a essa necessidade.

Agora, esses saberes e essas experiências podem ser adquiridos sem passar pelas faculdades de psicologia ou de medicina e psiquiatria.

Meu caso é uma boa ilustração. Minha graduação foi entre filosofia e epistemologia (teoria do conhecimento). Isso me tornou psicólogo o suficiente para poder, mais tarde, completar um doutorado em psicopatologia clínica. Mas, de fato, em minha graduação (em Genebra, quando Piaget ainda ensinava), só me interessei em entender como se constituem, no desenvolvimento humano, as operações mentais graças às quais conseguimos pensar. O que aprendi seria de grande ajuda se, hoje, eu fosse psicólogo escolar; saberia diagnosticar anomalias e atrasos cognitivos. Mas, na faculdade, meu treinamento clínico foi nulo. Ou seja, quando decidi me consagrar à clínica, não tinha passado por nenhum estágio, não conhecia o DSM nem os princípios ativos dos remédios psicotrópicos etc. Em suma, não preenchia nenhum dos requisitos que mencionei antes e que constituem o pano de fundo garantido pelo ensino de psiquiatria ou de psicologia clínica.

O que eu fiz? Organizei um grupo com alguns amigos, e pedimos a um psiquiatra de boa formação em biopsiquiatria que ele nos desse aula durante um ano. Inicialmente, esnobei o DSM, pois essa era a moda em Paris, mas recuperei o tempo perdido mais tarde e voltei ao DSM ainda muito recentemente, quando, praticando nos Estados Unidos, tive de preencher sistematicamente formulários diagnósticos para o seguro-saúde de meus pacientes.

Muito cedo em minha formação, tive a sorte de ser admitido para frequentar as apresentações de pacientes psicóticos que Jacques Lacan oferecia semanalmente no hospital Sainte-Anne. E inventei minha própria residência: me apressei a conseguir trabalho no Instituto Médico-Educativo que mencionei em minha primeira carta. Lá, aprendi, por exemplo, que autismo e psicose não são bem a mesma coisa e também que abuso, abandono e desamparo social, sobretudo para uma criança ou um adolescente, podem se confundir com a deterioração e o sofrimento psíquicos mais profundos.

Em suma, batalhei um pouco, mas não foi impossível compensar uma formação acadêmica não clínica.

Ora, há uma outra razão que torna o currículo de psicologia clínica ou de psiquiatria interessantes para um psicoterapeuta. É esta razão que me parece, hoje, a mais importante: quem não passa pelo ensino clínico universitário, em geral, forma-se só e exclusivamente na orientação específica da instituição que escolheu.

Por exemplo, minha formação foi na *École Freudienne de Paris*, a escola fundada e dirigida por Jacques Lacan. Por graça divina (e vontade de Lacan, sem dúvida), era considerado crucial ler a obra de Freud até cansar. Salvo as devidas exceções e as curiosidades pessoais de alguns, o clima geral sugeria que, para a psicanálise anglo-saxã, por exemplo, era suficiente conhecer chavões críticos e palavras de ordem irônicas. Depois da morte de Lacan, a coisa piorou. Cada vez mais, lacaniano só lê Lacan.

Você pergunta: qual é o problema? À primeira vista, poderíamos pensar que é melhor assim; afinal, o terapeuta aprende mais da orientação que sustentará sua prática, ou seja, aprende mais do que importa, não é? Pode ser. Acontece que, de fato, medindo cuidadosamente as palavras, uma formação policiada para ficar circunscrita a apenas uma prática e ao ensino que lhe corresponde está levando gerações de terapeutas e analistas a valorizar não o compromisso com os pacientes, mas a reprodução e a preservação da doutrina na qual se formaram.

A orientação terapêutica na qual você se formou ou está se formando, minha jovem amiga, não é uma ideologia, nem uma fé na qual seria preciso que você acreditasse, nem uma espécie de dívida que você contraiu com seus mestres e que a forçaria a se fazer seu repetidor e arauto fiel.

Nisso, uma formação acadêmica de psicólogo ou psiquiatra pode ser de grande auxílio. Apesar da multiplicação de departamentos vigiados por obediências teóricas, a variedade do ensino universitário ajuda a levar a sério a frase famosa de Aristóteles (apenas modificada): "Platão é meu amigo, mas meus pacientes são mais amigos ainda".

Abç.

9. AS LEITURAS

Caro amigo,

Concordo, há algo a mais, que é indispensável na formação de um psicoterapeuta, seja qual for a orientação que ele escolher. Esse algo, como você diz, é uma "relação íntima" com o que os homens de nossa cultura ou próximos dela "pensaram e escreveram na tentativa de explicar sua presença no mundo e suas aventuras". Gosto dessa perífrase que você escolheu, que é mais interessante e mais correta do que dizer que um terapeuta teria que ser "culto" – que não se sabe bem o que quer dizer.

Uma vez, encurralado por uma entrevistadora, afirmei que há 200 livros que é preciso ter lido na vida, para não morrer idiota. Desde então, periodicamente, alguém me pergunta quais são os tais 200 livros, e há editoras que me pedem para transformar a tal lista num livro. A lista não existe. Não sei de onde saiu o número 200; acho que me pareceu razoável, sem ser assustador.

Quantos livros eu li ao longo da vida? Digo: quantos li realmente, se não de cabo a rabo, digamos ao menos a metade do texto? É difícil dizer, porque há livros dos quais a gente lê um capítulo ou sobre os quais lemos uma boa resenha e nem sabemos mais se lemos ou não. Há livros que lemos numa versão infantil abreviada e também não sabemos mais se lemos mesmo ou não.

Enfim, tento uma estimativa: raramente leio menos de um livro por semana (há autores que me levaram meses, claro, mas, enquanto isso, não deixava de ler outros). É uma estimativa razoável dizer que leio 50 livros por ano, desde meus treze anos. Aos treze, de fato, lia mais, assinava os "Gialli" (policiais semanais publicados por Mondadori) e duas coleções de ficção científica, eram três livros por semana, mais os que eu pegava na biblioteca do meu pai. Em suma, dá mais de dois mil livros; o curioso é que acho estranhamente pouco, parece-me que li muito mais. Talvez seja por causa de todos os outros livros, os que quase li e acho que li...

Seja como for, quando tentei redigir a lista das leituras que seriam "indispensáveis" para qualquer formação, digamos, "decente", comecei enumerando as obras mais consagradas. Logo me dei conta de que: 1) eu estava incluindo livros dos quais, justamente, não me lembrava com certeza se eu os tinha lido ou não; 2) havia livros consagradíssimos que eu li e dos quais me lembro, mas que não mudaram minha vida; 3) havia livros nulos, péssimos, mas que foram cruciais e que talvez eu aconselhasse para todos.

Por exemplo, me lembro de um pequeno livro de Vittorio Marcozzi, que foi sugerido pelo professor de religião do secundário e que se chamava *Teorie del Secolo e Cristianesimo*. Era uma refutação de Darwin, Marx e Freud, a qual já na época me parecia primária, embora eu não tivesse lido nenhum dos três. Marcozzi, de tanto que o achei medíocre, conseguiu fazer de mim, sucessivamente, um evolucionista, um marxista por um tempo e um freudiano até hoje. Então, talvez o livro devesse fazer parte dos 200 indispensáveis.

Quando penso no prazer e no hábito da leitura sempre me lembro da experiência (rara para os brasileiros, mas nem tanto na minha infância italiana) de ser bloqueado por uma nevasca de dias em algum chalé de montanha. Na época, não havia computador, nem celular e, na montanha, sequer havia televisão. Com a nevasca, era impossível sair. Para essas ocasiões, um bom chalé de esqui tem duas reservas: uma de comida em conserva, outra, de livros (em geral, trazidos e deixados pelos hóspedes anteriores). Foi assim, na neve, que descobri o charme da literatura policial e, logo a seguir, Dostoiévski e Tolstói.

Nas nevascas, só dá para ler os livros que estão no chalé por acaso. E ainda gosto da ideia de um acaso das leituras, que talvez, aliás, não seja bom abolir com uma lista.

Como escolho hoje minhas leituras? Há os livros que recebo, os livros sobre os quais leio resenhas, artigos ou mesmo propagandas que me dão vontade de ler, há os que preciso ler sobre um tópico que estou pesquisando e há sobretudo o fato de que cada paciente é uma bibliografia: menciona livros, filmes, seriados. Seguir essas indicações não é necessário para escutar o paciente, mas a fala dos pacientes desperta minha curiosidade e me instiga.

De qualquer forma, que parte dos livros que eu listaria seria de literatura e que parte seria de pensadores? Não ler narrativa, para mim, hoje, é uma espécie de pecado capital: desconfio de qualquer pessoa que não seja leitor ou espectador de ficções. Ao mesmo tempo, não faço bem a diferença entre ficção e não ficção: os ditos pensadores sempre me pareceram, desde meu primeiro contato com a filosofia, como uma galeria de maravilhosos malucos. Os três volumes de história da filosofia que eram a base do ensino no colégio eram ótimos, mas se pareciam estranhamente com os manuais de psiquiatria que via na estante do consultório do meu pai: para Tales de Mileto a substância primária era a água, para Anaxímenes, era o ar; para Platão, as formas abstratas eram mais reais do que nossa realidade etc. Claro, Aristóteles era menos louco do que os outros, e os romanos eram um alívio, comparados aos gregos ou com o autor da Bíblia, ou os cristãos dos primeiros séculos. Paulo, Agostinho, Tertuliano queriam amar só a Deus, não conseguiam, eram distraídos por mulheres e por isso acharam bom proibir os prazeres da carne, para todo mundo.

Ou seja, eu lia (e ainda leio) a história da filosofia como uma longa ficção em que os personagens são enredados nas tentativas infinitas (e eventualmente delirantes) de dar sentido ao mundo e à vida, que não têm algum.

Com isso, os escritos dos pensadores não me seduzem propriamente pelas ideias expostas, mas porque contam, direta ou indiretamente, os dramas concretos e cotidianos de seus autores – aventureiros à procura de um entendimento do mundo.

Dou-me conta agora de que, para mim, há continuidade entre a prática clínica e as leituras: leio (ficção, filosofia ou mesmo teoria psicanalítica) com a mesma paixão e curiosidade que me animam quando escuto meus pacientes.

Abçs.

10. CURAR OU NÃO CURAR

Cara amiga,

Você vai ter dificuldade em acreditar, mas é assim: um bom número de meus colegas psicanalistas achará estranho que, nestas cartas, eu fale de psicoterapia e de psicanálise como se fossem parentes próximos. Aliás, eles julgarão curioso que um psicanalista escreva *Cartas a um jovem terapeuta*. Em princípio, eles certamente reconhecem que a psicanálise é a matriz mais importante de qualquer terapia que opere com as motivações conscientes e inconscientes de quem sofre. Mas não aceitam de jeito nenhum que a psicanálise seja uma psicoterapia; recusam a ideia de que o psicanalista se proponha a curar, de uma maneira ou de outra, o sofrimento de seus pacientes.

Na origem dessa recusa, que é, à primeira vista, um pouco surpreendente, há algumas reservas bem justificadas quanto aos efeitos da vontade e da pressa de curar. Essas reservas são úteis para o psicoterapeuta.

Freud, por exemplo, recomendava que os psicanalistas não tivessem pressa de curar. Por quê?

Em muitos casos, o paciente nos consulta por um problema bem definido: um medo específico, uma ejaculação precoce, um pensamento obsessivo ou mesmo uma encruzilhada da vida em que lhe é difícil tomar uma decisão. Às vezes, aliás, ele já pensou bastante no assunto e nos dá sua própria explicação para o que lhe acontece.

Se o terapeuta estiver com pressa de agir, acreditará que a queixa apresentada (com a explicação que a acompanha) diz mesmo o essencial do que atormenta o paciente. E tentará imediatamente combater o sintoma ou ajudar na solução do dilema. Nesse caso, quase sempre, o sintoma e o dilema apenas se deslocarão, migrarão alhures, pois o sofrimento psíquico é como a massinha de modelar de nossa infância; você não a quer num determinado quartinho da casa de boneca, empurra com força, consegue deslocá-la, mas ela não sumiu, apenas se insinuou pelas frestas e reaparece no quarto ao lado.

Um exemplo. Nos últimos anos, atendi pacientes brasileiros que viviam em Nova York. Muitos vinham me ver com um problema "só": queriam decidir se voltariam para casa ou ficariam nos Estados Unidos. Chegavam com verdadeiras listas de argumentos contrapostos que acabavam num empate que os imobilizava. Também estavam com pressa: renovo o visto ou não renovo? E o contrato de aluguel, que acaba daqui a seis meses?

Era grande a tentação de tomá-los ao pé da letra e ajudá-los a decidir, pesando de novo os argumentos, acrescentando outros que, quem sabe, eles não tivessem contemplado e, sobretudo, jogando na balança o peso de um conselho que, justo ou errado, teria a vantagem de tirá-los de uma hesitação excruciante.

Claro, escutava com calma a exposição dos dilemas e de suas razões, mas me guardava da pressa. À força de perguntas, encorajava-os a voltar no tempo. Não era fácil, pois a reação imediata era de impaciência: "Tudo bem, vou falar daquela viagem ao Canadá quando era criança, tudo isso é bem bonito e interessante, mas eu devo decidir agora, você entende?".

Ora, quase sem exceções, o dilema do momento, por mais imperativo e efetivo que fosse, era o herdeiro de conflitos mais antigos, que, quase sempre, tinham sido ilusoriamente resolvidos pela própria saída do Brasil. Era a necessidade de realizar um desejo fracassado dos pais (impressionante quantas crianças nascidas ou concebidas durante o doutorado do pai ou da mãe nos Estados Unidos se perguntam um dia por que diabo acabaram emigrando). Era a necessidade de repetir o gesto mítico do ancestral que foi embora de algum país europeu para o Brasil (maneira de reivindicar para si a suprema autoridade simbólica da família, mas a que preço?). Eram as mil faces do eterno conflito de qualquer adolescente tardio, dividido entre o desejo paterno de que ele dê prova de sua autonomia e o desejo (também paterno) de que ele fique perto de casa, no abraço quente dos seus. Havia filhas que precisavam demonstrar coragem e autonomias muito "machas", para competir com os irmãos; caçulas que sonhavam em ser o filho pródigo da parábola; filhos mais velhos que só se sentiriam legítimos se conquistassem sua primogenitura na marra. Havia sujeitos só capazes de amar e ser amados a distância. E por aí vai.

O fato é que a pressa de curar e decidir teria sido péssima conselheira. Meus pacientes, de volta ao Brasil ou estabelecidos de vez em Nova York, tanto faz, teriam certamente encarado, algum dia, uma nova forma do mesmo dilema não resolvido, tão angustiante quanto.

O preceito de não se apressar é quase equivalente à recomendação médica segundo a qual nem sempre é bom suprimir os sintomas antes que a doença se declare. Não há nada, nessa desconfiança da pressa, que seja um privilégio da psicanálise e ainda menos que livre a psicanálise da tarefa de curar (claro, sem que a pressa atropele a cura).

Outro argumento para desconfiar da ideia de que a psicanálise seria uma forma de terapia é o seguinte: as definições tradicionais do que é curar dizem que curar significa restabelecer a normalidade funcional ou, então, levar o sujeito de volta a seu estado anterior à doença.

Nesta altura, você já sabe que a psicanálise (e a mesma coisa vale para qualquer psicoterapia) não tem, nem quer ter, uma noção preestabelecida de normalidade. Ou melhor, nosso ideal de normalidade é o estado em que um sujeito se permite realizar suas potencialidades, ou seja, o estado em que nada impede que alguém viva plenamente o que lhe é possível nos limites impostos por sua história e sua constituição. Se a normalidade for assim definida, ela pode perfeitamente ser o alvo de nossas curas.

Quanto à ideia de que curar seria levar de volta um sujeito ao estado anterior à doença, é óbvio que uma psicoterapia não funciona nunca como a extirpação cirúrgica de um cisto ou como a exterminação de uma bactéria, atos que devolveriam o corpo a seu estado anterior. Uma psicoterapia é uma experiência que transforma; pode-se sair dela sem o sofrimento do qual a gente se queixava inicialmente, mas ao custo de uma mudança. Na saída, não somos os mesmos sem dor; somos outros, diferentes.

Em suma, os argumentos apresentados até aqui nos encorajam a redefinir o que é a cura que pode ser esperada de uma psicoterapia e sugerem que, justamente para curar direito, o psicoterapeuta não deve se apressar. Nada, nesses argumentos, explicaria um divórcio necessário entre psicanálise e psicoterapia.

De onde vem, então, o estranhamento de meus colegas? Por que a psicanálise não seria uma terapia? Por que a ideia de curar o sofrimento psíquico se tornou objeto do escárnio de muitos psicanalistas?

Há, primeiro, uma razão histórica. A coisa começou no fim dos anos 1960, época triunfante da contracultura americana e do espírito do maio de 68 francês, em que a crítica e a revolta eram o único sinal verdadeiramente aceitável de "saúde" mental. Naqueles anos, nasceu o movimento antipsiquiátrico. Era o projeto de esvaziar os asilos, onde apodreciam legiões de pacientes de quem se esperava apenas que se tornassem crônicos e permanecessem presos para não atrapalhar a vida dos outros. Era também a ideia de que os "loucos", uma vez liberados, poderiam se tornar uma força revolucionária que transformaria a vida de todos. Melhor, ao se tornarem revolucionários, eles, de certa forma, estariam curados: o engajamento político seria sua terapia final.

Em 1969, se me lembro direito, eu estava na plateia (e um pouco na organização, pois servia de tradutor) do primeiro congresso "Psicanálise e Política", em Milão. Perdido entre as estrelas (Deleuze, Guattari, Giovanni Jervis da equipe de Basaglia etc.), um honesto psicanalista milanês, Enzo Morpurgo, apresentou o caso de uma paciente. Não me lembro dos detalhes do caso, mas me lembro da discussão: o público quase linchou o conferencista porque o tratamento que ele apresentava havia melhorado a condição de sua paciente. A palavra "adaptação" voava no ar como o último xingamento. Curar significava permitir que um paciente estivesse melhor, portanto, que ele perdesse seu potencial de revolta, ficasse mais resignado e complacente com a realidade política e social do momento. Quem curava traía a causa do proletariado e da revolução. Quem curava levava seu paciente a esquecer-se de que ninguém deve salvar-se sozinho.

O pobre analista milanês, enfim, para proteger-se dos tomates verbais que choviam no palco, acrescentou um epílogo (verdadeiro ou improvisado, nunca saberemos) à exposição do caso. Declarou: "Mas aconteceu algo que devemos considerar. Quando a paciente veio me ver, ela era membro do Partido Comunista Italiano" (que era, na época, considerado desprezivelmente rosa-claro, reformista e traidor). "Quando a análise terminou", continuou o analista, "ela deixou o partido e entrou no Manifesto." O Manifesto era uma dissidência crítica e revolucionária do partido; só para entender, é como se um psicoterapeuta dissesse, no Brasil de hoje, que seu paciente saiu do PT e foi fundar um partido com Babá e Luciana Genro.

Hoje, esse episódio parece cômico e estranhamente distante. As coisas mudaram, provavelmente para melhor: não acredito que haja um psicanalista ou um psicoterapeuta que, mesmo coagido por uma plateia enfurecida, alegaria a mudança de partido de uma paciente como prova da excelência dos resultados de sua prática.

Mas algo daquela época permaneceu, no mínimo, até os anos 1990. O quê? A ideia de que a pretensão de curar-se, de ser um pouco mais "feliz", seria só uma idiotice vendida pela propaganda de iogurte, carros e cartão de crédito, um sonho de consumo feito para nos distrair do que importa. Nisso, a rebeldia nascida nos anos 1960 reata com a tradição romântica do século XIX, glorificando a inquietude, a angústia e mesmo o sofrimento psíquico como provas de vitalidade subjetiva.

Nota à margem. É um estranho paradoxo: é bem possível que o sonho de felicidade seja a cenoura atrás da qual nossa cultura individualista e liberal força todos a correr, mas é certo também que o sonho só é uma cenoura eficaz à condição de que seja entretida uma insatisfação permanente com nosso destino. Ou seja, é preciso não ser feliz para correr atrás da felicidade e de seus substitutos. O culto da inquietude inconformada e angustiada é tão essencial ao funcionamento de uma sociedade liberal quanto o sonho de felicidade. Mas, enfim, esses eram (e ainda são) os tempos.

Para entender as origens da resistência à ideia de uma cura psíquica, é bom levar em conta ainda outros fatores. Por exemplo, os intelectuais europeus (sobretudo italianos e franceses) dos anos 1970 descobriram os sociólogos (e psicossociólogos) da escola de Frankfurt. Na verdade, enquanto os italianos liam (pois quase tudo era traduzido do alemão para o italiano), os franceses confiavam na segunda mão (pois as traduções francesas chegaram bem mais tarde); com isso, dessa não leitura, sobraram aos franceses os chavões, o maior deles sendo a convicção férrea e abstrata de que uma das raízes do mal é a cultura de massa. Qualquer coisa que agradasse ao grande número devia ser reprovável; portanto, se o grande número, quando está mal, quer ser curado, é porque o grande número está sendo enganado pela cultura de massa.

Com isso, as vanguardas da época viviam um paradoxo extremo: queriam ser populares e sonhavam com a aliança de estudantes e proletários, mas praticavam propositalmente um elitismo exacerbado, que lhes parecia a única reação contra a "burrice" da cultura de massa (ou seja, contra tudo o que pensavam as próprias massas com as quais as vanguardas queriam aliar-se).

Talvez esse quadro ajude a entender por que a psicanálise francesa dos anos 1960 e 1970 (na qual me formei e que teve uma grande influência direta e indireta no Brasil dos anos 1980) desconfiava da ideia de que a psicanálise fosse uma terapia, e por que ela produziu um corpo teórico de acesso dificílimo, quase críptico e curiosamente afastado do dia a dia da clínica.

A psicanálise francesa daqueles anos era, em suma, (permita-me a ironia) perfeitamente adaptada à sua época, cultivando o exoterismo de sua doutrina e preferindo apresentar-se como uma experiência mais iniciática do que terapêutica, mais para os adeptos do que para os pacientes.

No meio desse clima, produzia-se outro fenômeno. A partir dos anos 1960, crescia o número de jovens que tinham acesso ao ensino universitário – efeito do desenvolvimento, do bem-estar e, mais tarde, também de governos satisfeitos com a ideia de atrasar por quatro ou cinco anos a chegada ao mercado de trabalho de jovens que seriam, sem isso, desempregados no fim do secundário. Obviamente, a geração rebelde era seduzida pelas ciências humanas: as faculdades de sociologia e psicologia estavam abarrotadas.

Ora, nos anos 1970 e 1980, os psicanalistas americanos, por exemplo, queixavam-se de uma diminuição do número de pacientes e de candidatos e explicavam a penúria pelo fato de que talvez a psicanálise clássica fosse uma cura longa e trabalhosa demais. No entanto, na Europa (de fato, sobretudo na França e na Itália) assistia-se a uma difusão sem precedentes da prática psicanalítica e a uma acelerada reprodução de analistas. Claro, nos cafés de Paris, comentava-se que a psicanálise americana era prejudicada por seu próprio empirismo adaptador, ou seja, por não entender que "na verdade" o povo não quer adaptação, o povo quer revolução e complicação.

Talvez seja melhor não acreditar nos cafés de Paris e considerar que o sucesso de mercado da psicanálise francesa daquela época (e, especificamente, do ensino de Jacques Lacan) foi o fruto de uma extraordinária adequação ao momento. Uma geração revoltada, apaixonada pelas ciências humanas e ameaçada de desemprego estava entregue a furores abstratos; a psicanálise francesa respondeu perfeitamente ao mal-estar dessa geração. Na próxima carta, tentarei lhe mostrar como isso se deu e com quais consequências (que, em parte, ainda duram).

Desta vez, basta-me ter exposto o clima que predispunha a psicanálise francesa dos anos 1970 a considerar a ideia de curar como anátema.

Aliás, desde aquela época, há meios psicanalíticos em que a palavra "paciente" é malvista. Paciente é o chato que se queixa e quer ser curado, enquanto quem faz análise é "analisando" ou "analisante", não paciente, pois ele deve esperar análise e não cura. Você deve ter notado que penso diferente. A psicanálise me interessa por sua capacidade de transformar as vidas e atenuar a dor.

Se tenho uma reserva diante da palavra "paciente", é porque espero que todos sejamos impacientes com o sofrimento desnecessário que, eventualmente, estraga nossos dias.

Abç.

BILHETE

Você quer voltar à alternativa entre revolução e adaptação. Eu disse, sim, que o psicoterapeuta é sempre um pouco pessimista em matéria de mudança – talvez a palavra certa não seja pessimista, mas cauteloso. E você pergunta: "Como você faz para aceitar qualquer realidade? E a injustiça? A sensação de que alguém está sendo abusado? A feiura do mundo? Como você reage? Você não critica?".

Reajo, provavelmente, de um modo muito parecido com o seu. Sinto indignações e revoltas. Mas, antes disso, sinto que a própria realidade que me indigna não me é estranha.

Vou tentar ser mais claro. Posso me opor, ser contra, drasticamente, e me revoltar. Mas tenho um interesse incondicional pela vida como ela é, inclusive por sua feiura. O resultado desse interesse é que sou sempre crítico, só que num sentido um pouco diferente: criticar algo, para mim, significa, antes de mais nada, entender como aquilo se produziu, como foi possível.

A psicoterapia é uma arte de produzir mudança. Ora, a mudança só tem uma chance de acontecer na aceitação do que é e no entendimento da necessidade do que é. Pensar que nosso paciente "não deveria" ou "deveria" fazer isso ou aquilo nos leva quase sempre a perder de vista as razões pelas quais ele é como é.

O relato do paciente pode nos inspirar pudor, nojo, medo, antipatia, raiva etc., mas o terapeuta se forma justamente para evitar essas aversões.

As aversões são quase sempre efeitos de repressão. Sinto aversão por algo no outro, quando esse algo desperta ou lembra uma dimensão de mim que quero reprimir ou esquecer.

Muitos anos atrás, em Paris, atendi um paciente que já de início, na entrevista preliminar, anunciou que seu prazer sexual era solitário e secreto. Quando suas fezes eram bem formadas para isso, ele as chupava como se fossem um membro masculino, até elas derreterem na sua boca. Ao escutar esse relato, o risco é de deixar o desgosto comandar nossa escuta e assim colocar essa estranha prática sexual ao centro de qualquer psicoterapia possível. De fato, o paciente não tinha queixas quanto à sua vida sexual; o hábito sexual que ele relatava era verdadeiro (não era inventado), mas era trazido como um engodo para psicoterapeutas, para que eles, horrorizados, fossem fascinados e deixassem de indagar uma história complexa e mais sofrida – a qual, aliás, pouco tinha a ver com as preferências sexuais do paciente. Um bom número de curas fracassam por isso, porque o terapeuta foca em fatos, relatos ou mesmo queixas que o paciente traz como espelhinhos dos quais ele mesmo se serve para ignorar algo bem mais relevante na vida dele. Os "espelhinhos" mais adequados para distrair paciente e terapeuta são os que escandalizam o terapeuta, e por isso monopolizam sua atenção.

Resumindo, esse paciente se analisou comigo durante anos, e mudou sua vida, mas nem sei se a prática coprofágica dele continuou ou não. Ao longo do tratamento, falou-se cada vez menos disso. Nem eu nem ele achávamos importante.

A tentação de colocar o foco em cima da coprofagia viria da ideia "instintiva" ou espontânea de que existiria uma normalidade do desejo. Pois é, não existe normalidade do desejo. E quem ganha mesmo a estatística é a repressão desnecessária. O que chamamos de "normalidade" não é um padrão estatístico do desejo, mas é a resignação comum à mediocridade imposta pela repressão de nosso desejo.

Essa "normalidade" é a pior conselheira do terapeuta. Claro, os terapeutas não têm a intenção de transformar qualquer um em excêntrico bizarro, mas se presume que uma terapia ajude qualquer um a respeitar seu próprio desejo, a não se apavorar diante dele e a se arriscar por ele, quando for praticável.

Concordo, eu me afastei de sua pergunta inicial. Você volta à questão com razão. Eu disse, no fim de minha resposta, que uma terapia ajuda qualquer um a respeitar seu desejo e a se arriscar por ele, quando esse desejo for praticável. E você pergunta diretamente: "Então, a terapia produz adaptados, que só desejam o que for praticável, ou desadaptados, que querem impor seu desejo ao mundo?".

Acuado assim, prefiro responder só pela psicanálise e também ficando um pouco em cima do muro. Produzimos, vou dizer assim, semiadaptados. Ou desadaptados bem-comportados.

Chamo de adaptação a maneira menos custosa possível de ser quem a gente é, renunciando quanto menos possível ao nosso desejo.

Cada um decide quando há compromissos praticáveis e quando a renúncia que a sociedade impõe é excessiva e intolerável.

11. O QUE FAZER PARA TER MAIS PACIENTES?

Meu caro amigo,

Respondo a uma preocupação que você manifestou depois de minha carta sobre o primeiro paciente. Você escreveu: "Receber um primeiro paciente é fácil; fazer que o consultório da gente cresça e se torne viável é uma outra história, não é?".

Em 1974, acredito, um pouco antes que começasse a atender, fui visitar Christian Simatos, que era o secretário da *École Freudienne de Paris* (secretário, nesse caso, não designa um emprego administrativo, mas um cargo essencial no funcionamento da instituição, ocupado por um psicanalista).

Tratava-se de formalizar minha candidatura ao estatuto de membro da *École* e de anunciar que eu me oferecia a receber pacientes. Fiz meu pedido e apresentei meu currículo (com nome do analista, tempo de análise, grupos de estudos dos quais eu participava etc.), que seria examinado na próxima reunião da direção. Depois disso, conversamos por um bom tempo.

No decorrer desse papo amigável, perguntei a Simatos o que ele achava que eu deveria fazer para que alguém me encaminhasse pacientes, de maneira que pudesse começar minha atividade. Sabia que a *École* não tinha uma política de encaminhamento para os jovens analistas (só nos últimos anos, foi instituído um comitê responsável para receber os pedidos de análise e terapia que chegavam diretamente à instituição; esse pequeno comitê encaminhava os pedidos a membros da instituição, mas segundo os critérios escolhidos pelos analistas que compunham o comitê, não segundo uma política formal). Pensava também que talvez essa ausência de política de encaminhamento fosse proposital, uma espécie de seleção social, uma última prova depois da formação; afinal, ser psicanalista é um ofício liberal, e uma certa capacidade social de inspirar confiança e receber demandas poderia ser considerada como um requisito de qualquer profissão liberal. Essa ideia, embora nada explícita, ressurgia, na vida da instituição, na hora de os membros serem designados com o título de "analista membro". Não havia candidatura para isso; o que contava, de fato, era ter durado ao menos dez anos na prática clínica, claro, sem fazer estragos.

Enfim, coloquei a pergunta, e Simatos me respondeu: "*Faites-vous connaitre*", faça-se conhecer. Era uma resposta de bom senso; sobretudo se você começa a trabalhar numa cidade que não é sua de origem (na qual talvez você tivesse uma rede de amigos, colegas desde o primário, parentes etc.), é preciso, no mínimo, que as pessoas saibam que você existe.

Entretanto, no contexto daqueles anos, a resposta assumia um sentido um pouco diferente.

Na época, contribuir para o exercício e a doutrina da psicanálise parecia mais importante do que curar pacientes. Isso fazia com que, para cada um, a relação com os colegas da *École*, com os outros analistas, fosse mais relevante do que a relação com a cidade e, em geral, com o resto da sociedade.

Consequência disso: todo mundo parecia convencido de que, assim como as batatas vinham da terra, os pacientes só vinham de outros analistas e terapeutas mais abastados. Portanto, fazer-se conhecer não significava ganhar a confiança de quem está na primeira linha de embate com o sofrimento cotidiano (o padre da igreja, o quiroprático, o médico de família ou mesmo os vizinhos do prédio); significava impor respeito aos colegas da instituição. Na mesma linha, mostrar que a gente era digno de confiança não significava dar provas práticas da capacidade de ajudar pacientes, significava dar prova de uma "excelência" teórica que "impressionaria" os colegas.

Quem seguisse o conselho que eu acabava de receber e quisesse "se fazer conhecer" não pensava, por exemplo, em conseguir trabalho numa instituição pública de saúde mental, onde se mostraria capaz de lidar com a demanda de quem sofre e pede ajuda sem salamaleques (ou seja, sem a reverência garantida de quem já saberia que a psicanálise era uma aventura especial reservada aos entendidos).

Naquela época, quem se dispusesse a seguir o conselho de Simatos, ao contrário, pensava em outras coisas: pensava em dar prova de extraordinário brilho, inteligência e saber num seminário fechado entre analistas (consequência paradoxal disso: nos seminários, falava-se pouco, pois o risco de perder pontos parecia maior do que a chance de ganhá-los); pensava em conseguir apresentar uma comunicação num congresso ou numa jornada de trabalho da *École*, mesmo que fosse às 8h da manhã na sala D; pensava em publicar a dita comunicação ou, então, um artigo em alguma revista; ou, sonho supremo, pensava em escrever, um dia, um livro para a *Éditions du Seuil*.

Mas, cuidado, em sua maioria, essas intervenções e comunicações, esses artigos e livros não nasceriam propriamente como contribuições a uma disciplina, e sim como esforços para conquistar um espaço mais ensolarado na hierarquia (imaginária ou real) da instituição. Eram como a roupa da semana da moda de São Paulo ou do Rio: *fashion* para dar lustre à marca, vestimentas só para a passarela, não para usar.

De fato, na história de poucas disciplinas houve uma proliferação de produção, digamos, teórica tão intensa como na psicanálise francesa desde 1970. Multiplicavam-se as revistas e as séries editoriais. Depois da dissolução da *École Freudienne*, quando Lacan estava se apagando, a comunidade fragmentou-se, não tanto por diferenças na interpretação da obra ou no entendimento da psicanálise. Ela se fragmentou como se fragmentaria um exército em que todos achassem vital ser generais. Cem grupos permitem a existência de cem diretores de escola (por pequena que cada uma seja); com cem escolas, há mil membros de diretorias, dois mil analistas encarregados de ensino e, sobretudo, cada grupo convocando Deus e todo mundo para seus congressos, centenas de ocasiões de subir num pódio.

Na vida das instituições daquela época (vamos fazer de conta que não seja mais o caso), não havia temas que se impusessem como questões comuns e motivassem números especiais de revistas ou encontros. Havia, isso sim, a necessidade institucional de garantir espaço a todos os membros que se sentiam compelidos a tomar a palavra ou a caneta para "se fazer conhecer".

A produção psicanalítica desse período (com as exceções que são sempre devidas, claro) é fundamentalmente uma vasta e desordenada máquina de propaganda. E, à diferença do que acontecia no começo da psicanálise, quando se tratava de estabelecer a legitimidade da disciplina, o objeto da propaganda desse período não era a psicanálise, eram as instituições (as marcas) e as pessoas (os modelos).

Consequência e prova disso: essa produção surpreendentemente exuberante não tinha nenhum efeito acumulativo. Alguém podia escrever e publicar hoje uma interpretação sofisticadíssima de um sintoma extremamente raro, sei lá, síndrome de Tourette com tique do olho esquerdo e palavrões em chinês. Pois bem, amanhã outra pessoa escreveria e publicaria outra interpretação sofisticadíssima da mesma síndrome, só que absolutamente oposta à anterior. Nem por isso haveria debate ou acumulação de um saber. Citações do trabalho anterior, nem pensar. As ideias se sucediam como num desfile de achados sem conexão. Por que um debate, posto que o propósito dos autores não era interpretar a dita síndrome (muito menos curá-la, Deus nos livre disso), mas assinar uma interpretação suficientemente sofisticada para impressionar os colegas?

Havia outra razão para que não ocorresse debate nem acumulação de saber. Não era raro que, continuando o mesmo exemplo, nenhum dos autores das interpretações opostas tivesse sequer visto um paciente com síndrome de Tourette. É certo que o racionalismo tradicional da cultura francesa alimenta a ilusão de que a verdade surgiria "à la Descartes", ou seja, não do exame dos fatos, mas por pureza lógica de deduções abstratas. Mas é mais certo ainda que o imperativo de ganhar visibilidade empurrava especificamente os psicanalistas menos experientes a escrever, comunicar e ensinar.

Tenho uma certa birra daquela época, pois me parece que vi alguns dos melhores cérebros de minha geração, não agonizantes na sarjeta, como escreveu um grande poeta da contracultura, Allen Ginsberg, mas perdidos em elucubrações sem diálogo e sem relação com a gravidade e a seriedade de suas práticas.

Quem lia essa massa de livros e artigos? Quem escutava o murmúrio incessante de seminários e comunicações? De certa forma, ninguém. Em regra, lia-se para adquirir o código comum e colocar em dia o *ranking* dos analistas. Além disso, lia-se só para cima, numa espécie de pirâmide. As sumidades eram perfeitos autodidatas, só liam o que eles mesmos escreviam; os que estavam embaixo deles só liam as sumidades, e por aí vai, descendo até a massa dos jovens que eram o embasamento e a sustentação (entre outros, financeira) da pirâmide, pois a necessidade de "fazer-se conhecer" os levava a pagar seu ingresso em todos os congressos, comprar todos os livros e todas as revistas.

De qualquer forma, não é de estranhar que as contribuições não fossem levadas a sério, pois, de fato, em sua maioria, não eram escritas para divulgar ideias.

Você poderia me perguntar: mas, falando em finanças, como uma tal quantidade e diversidade de editoras deficitárias, de congressos dispendiosos, de locais alugados por instituições que pagavam funcionários, imprimiam programas etc., como tudo isso podia ser sustentado só pela presença e pela leitura assídua e fiel dos jovens médicos e psicólogos que queriam se tornar analistas? Afinal, o número não devia ser imenso, não é?

Pois é, a solução veio do próprio ensino de Lacan. Certamente, não foi uma sacação maquiavélica. Uma ideia de Lacan, nos anos 1960, criou as condições para que a pirâmide se constituísse e também para que a psicanálise francesa, durante ao menos duas décadas, não conhecesse dificuldades de clientela e, sobretudo, de pedidos de formação.

Aconteceu assim: Lacan se perguntava o que seria o fim de uma análise, ou seja, como definir uma análise apropriadamente terminada. Sua resposta foi a seguinte: o fim de uma análise (diferentemente de uma interrupção) não é o esgotamento dos assuntos, o sumiço dos sintomas, o fim das queixas ou coisa que o valha. O fim de uma análise propriamente dito seria uma experiência radical produzida pelo próprio processo analítico.

Pouco importa aqui examinar como Lacan entendia essa experiência e o processo que a ela levaria. Mas, descrita em termos psicológicos e muito simples (que ele teria detestado), seria a experiência de que não somos grande coisa e, em particular, não somos a única coisa que falta para que o mundo seja perfeito e para que a nossa mãe seja feliz. Isso parece (e é) uma coisa fácil de saber e mesmo de admitir, mas uma experiência efetiva dessa superfluidade de nossa existência é uma outra história. Nesse momento final, o sujeito vivenciaria, logicamente, uma espécie de desamparo depressivo, mas também uma extrema liberação. Por que liberação? Pois é, o que mais nos faz sofrer talvez seja justamente a relevância excessiva que atribuímos à nossa presença no mundo, pois essa relevância é a pedra de fundação de todas as nossas obstinadas repetições, é graças a ela que insistimos em ser sempre "iguais a nós mesmos" (e, no caso, essa expressão não tem um sentido positivo).

Há boas razões para se pensar que, uma vez essa experiência feita, a gente possa passar a viajar pela vida carregando malas um pouco mais leves. Ou seja, seríamos capazes de abandonar os sintomas que nos devastam e que, obviamente, adoramos a tal ponto que não conseguiríamos desistir deles. Em suma, essa experiência conclusiva teria um valor terapêutico.

A questão do fim da análise é de grande interesse clínico. Eu mesmo escrevi meu primeiro livro de psicanálise, no começo dos anos 1980, para tentar entender se e como essa experiência tinha acontecido para alguns de meus pacientes.

Até aqui, tudo bem. O problema é que, à sua descrição do fim da análise, Lacan acrescentou uma observação que teve consequências propriamente sociais. Ele notou que essa experiência produzia, nos sujeitos que a atravessavam, uma qualidade analítica, uma disposição, digamos assim, a exercer a função de psicanalista. Com os poucos elementos de descrição psicológica da experiência que acabo de esboçar, já dá para entender o porquê. Para lidar corretamente com o sofrimento dos outros, não é necessário ser "normal" nem é preciso estarmos curados de nossas neuroses, mas seria bem-vindo que a gente não se tomasse pelo ouro do mundo. Você deve lembrar, por exemplo, que já mais de uma vez, em nossa correspondência, lhe apontei alguns problemas da prática de quem acredita que sua presença deveria bastar para fazer cada paciente feliz. Em geral, esse terapeuta casa com uma série de pacientes ou mantém todos numa eterna dependência ou, terceira possibilidade, faz os dois.

Ora, a observação de Lacan levou todo mundo às conclusões seguintes: 1) só seria analista mesmo quem passasse pela experiência do fim de análise; 2) passar pelo fim de análise seria o suprassumo do que é preciso para tornar-se psicanalista.

As consequências são previsíveis. Para a psicanálise na França (e em boa parte do mundo), elas foram devastadoras, embora paradoxalmente positivas para o mercado da psicanálise.

Aconteceu o seguinte: os que estavam se formando entenderam que deveriam necessariamente ir até o fim de suas análises. Mas a dita experiência não é um evento pontual que seja reconhecível porque, de repente, se acenderia uma luz verde. Tanto o paciente como seu analista poderão, eventualmente, entender *a posteriori* que uma experiência daquele tipo aconteceu, mas nenhum dos dois poderá certificá-la na hora em que ela se der (se é que se trata de uma hora e não, como é bem mais provável, de um processo tortuoso).

Por consequência, as análises de quem estava se formando tornaram-se infinitas, eternamente suspensas à questão insolúvel: será que cheguei lá ou ainda não? O cúmulo é que, dessa forma, uma experiência que devia implicar um certo desprendimento era procurada como se fosse o ponto G do orgasmo. Ou seja, a observação de Lacan (mal interpretada?) fazia com que, no momento de abandonar suas malas mais pesadas, os pacientes em formação as trocassem por um enorme baú. Em outras palavras ainda, Lacan descreve uma possível experiência (saudável, embora doloroso) de abalo das fundações do narcisismo; essa experiência foi entendida como a porta de acesso ao prestígio da profissão desejada. O momento em que eu realizasse a experiência de que não sou nada seria o momento em que finalmente conseguiria ser alguma coisa ou mesmo alguém.

Acredito que a experiência que Lacan tentou descrever existisse mesmo. Agora, é de se perguntar se ela não se tornou impossível a partir do momento em que passou a prometer, como prêmio, justamente uma identificação, uma certeza narcisista: cheguei, enfim, sou analista!

Naqueles anos, teria sido possível escrever uma espécie de etiqueta para quem quisesse mostrar ao mundo que havia atravessado a experiência do fim de análise (e, "portanto", era analista). Era bom, claro, mostrar-se sempre deprimido, evitar com desdém qualquer conversa fútil (e qual não é?), tomar a palavra só transmitindo a impressão de que a gente está se forçando a falar, pois, na verdade, como todos podem ver, não é?, tomar a palavra parece agora uma jactância e por aí vai. Uma série de caretas e posturas quase cômicas.

Já é meio estranho escutar alguém esbofando-se a contragosto para anunciar que sabe que ele é só um objeto inútil e descartável. Agora, quando esse alguém está esbofando-se num palco, diante de 800 pessoas que pagaram algo como R$50 para escutá-lo esbofar-se, está na hora de rir.

Seja como for, do ponto de vista do mercado da psicanálise, essa transformação de uma hipotética experiência num carimbo de autorização (e, reciprocamente, do carimbo numa hipotética e enigmática experiência) foi ótima, pois manteve durante anos deitados no divã pacientes em formação, que, sem isso, já estariam correndo pelas ruas.

Mas não é só isso. A ideia de que qualquer análise terminada seria o essencial de uma formação (termine a análise e tornar-se-á analista), uma vez vulgarizada, transformou todos os pacientes, ou quase todos, em candidatos potenciais. Com os efeitos seguintes: 1) a grande massa dos pacientes veio engrossar a base da pirâmide que mencionei antes, frequentando congressos, seminários e colóquios, comprando revistas e livros, pagando as mensalidades das instituições etc.; 2) começar uma análise tornou-se mais tentador: mesmo que não acredite que essa coisa possa melhorar minha vida, curando meus sintomas, será que não a melhorarei achando enfim uma profissão? (Lembre-se das massas de estudantes de humanas candidatos ao desemprego); 3) a psicanálise se afastou ainda mais do projeto terapêutico; a ideia de que curar fosse acessório, senão supérfluo, além de ser um trejeito ideológico da contracultura, tornou-se um fato estabelecido pela própria finalidade da análise. A experiência do fim da análise: era para isso que a análise servia. Que, ao longo do caminho, a gente pudesse curar uma gastrite, uma obsessão ou uma incapacidade de amar, isso era coisa para a espécie inferior dos psicoterapeutas.

Na verdade, seria possível dizer que a psicanálise não se afastou de um projeto terapêutico; apenas passou a propor a todos, como cura, a chance de tornar-se psicanalista. Com isso, aliás, curou suas próprias finanças e qualquer crise de clientela.

Ironia da história: Lacan avançara seu entendimento do fim da análise também para polemizar com a ideia de que o fim de uma análise seria uma identificação com o analista, que é de fato uma ideia suspeita: "Você estará bem, quando ficar parecido comigo". Ora, deu na mesma, com o fim da análise como passaporte para transitar do divã à poltrona.

O prognóstico dessa história não é bom. Uma prática e uma disciplina têm seus dias contados se perdem o rumo de sua utilidade social para se preocuparem apenas com sua própria reprodução. A base da pirâmide, passado o entusiasmo inicial, só pode descobrir que não lhe foi dada formação alguma; apenas lhe foram transmitidos os tiques, os anseios e a ilusão de uma militância esperançosa. A promessa do bem-estar foi substituída pela promessa de entrar no clube, de ganhar status e trabalho. E, dessa promessa, só se realizou (se é que se realizou) a primeira parte. Quem acreditou na promessa ganhou os encargos do clube, o dever de pagar a mensalidade, sem qualquer benefício. Entretanto, em longo prazo, a massa de cidadãos que não são seduzidos por essa promessa acabará se perguntando por que diabo levaria as queixas de sua vida a quem parece se importar sobretudo em produzir adeptos. Para isso, bastam as igrejas evangélicas, não é?

Enfim, essa história contém lições que podem ser valiosas para você, especificamente na hora em que se pergunta como estabelecer sua clínica.

Seu primeiro compromisso não é com "a psicanálise" ou "a psicoterapia", nem com Freud, Melanie Klein, Lacan ou qualquer outro diretor de escola, nem com a instituição na qual você se formou.

Seu primeiro compromisso é com as pessoas que confiam em você e trazem para seu consultório uma queixa que pede para ser escutada e, por que não, resolvida. Ou, mais geralmente, seu primeiro compromisso é com a comunidade na qual você presta serviços. E o compromisso é de prestar o melhor serviço possível.

Talvez uma comparação resuma melhor. O destino da União Soviética teria sido diferente se os bolcheviques se lembrassem que seu compromisso não era com o partido nem com Lenin nem com a teoria marxista, mas com o povo russo. Ajudou?

Contei-lhe essa história para chegar à resposta que eu lhe daria, hoje, se você me perguntasse o que, na época, eu perguntei a Simatos: "O que fazer para que mais pacientes venham ao meu consultório?".

Diria: "Para estabelecer sua clínica, vale esta máxima: se o seu compromisso for com os pacientes, não se preocupe, eles vão acabar sabendo".

Abç.

BILHETES

Você observa que, às vezes, lendo textos psicanalíticos dos anos 1970 e 1980 (hoje a coisa tende a melhorar), não é simples fazer a diferença entre uma contribuição valiosa e um exercício de autopromoção; o estilo pode ser o mesmo: inutilmente torto, propositalmente incompreensível. Como não confundir?

Não sei. A verdade é que a obscuridade desses textos me afasta por razões propriamente clínicas.

Os textos psicanalíticos obscuros são geralmente concebidos para produzir e alimentar amores de transferência. Funciona assim: se você não entende bulhufas, é porque meu texto diz coisas que você não quer saber; deve tratar de coisas que têm tudo a ver com você. Portanto, quanto menos você entende, tanto mais você pode e deve me idealizar e me amar como detentor de uma verdade sua que você desconhece e que eu conheço.

Numa terapia ou numa análise, espera-se que, um dia, a idealização do terapeuta acabe. Espera-se também que o terapeuta queira que isso aconteça.

No caso dos textos obscuros, parece que seus autores preferem manter os leitores e admiradores boquiabertos para sempre. Pois escrevem não para transmitir o que sabem (a revelação liquidaria a idealização cega), mas para serem idealizados.

Só uma consolação: sempre chega um dia em que o truque para de funcionar, e parece evidente que, quando você não entende, é porque o autor não tem grande coisa para dizer ou, mesmo que tenha algo a dizer, prefere preservar sua aura de mistério a transmitir o que sabe. Em ambos os casos, provavelmente não vale a pena se esforçar.

Sou um leitor obstinado. Os textos com os quais mais penei foram a *Fenomenologia do espírito*, de Hegel, e os *Escritos*, de Lacan (um ano para cada um, em tempo integral). Eles me servem de referência: quando o esforço de leitura se aproxima do que eles exigiram de mim, é bom que o texto prometa um conteúdo de riqueza equivalente (o que é raro). Se não for o caso, passo adiante.

Fora isso, há momentos em que um sólido senso de humor pode ser salutar para evitar as armadilhas transferenciais da obscuridade.

No ano passado, em Boston, Estados Unidos, fui escutar, com um amigo e colega americano, um professor universitário inglês que proferia uma conferência supostamente sobre teoria psicanalítica de inspiração francesa.

No fim de uma incompreensível sucessão de afirmações sem referência empírica, destacando as palavras para marcar a extrema dramaticidade da questão conclusiva de sua exposição, o palestrante perguntou: "Será que a pulsão se curva?".

E deixou o silêncio compenetrar o momento solene. Meu amigo americano observou discretamente: "É uma questão muito interessante, mas, ultimamente, o que tem me ocupado mesmo é outra questão: quantos anjos você acha que cabem na cabeça de um alfinete?". Sério, comentei: "Depende, anjos em pé ou sentados?".
Fomos tomados por um acesso de riso incontrolável. O curioso é que o auditório, embora ninguém tivesse ouvido nossa troca bem-humorada, foi contagiado e aliviado por nossa hilaridade.
O conferencista ainda deve estar se perguntando o que há com esses americanos, que, em vez de aplaudir, caem na gargalhada. E, provavelmente, está contando para seus amigos que ele verificou pessoalmente o que todos já sabem: os americanos são refratários à psicanálise.

Entendo, é muito frequente que os terapeutas se culpem pela desistência de um paciente e, ainda mais, quando a desistência não é isolada. Você, aliás, me escreve bem na volta das férias, que é um momento em que é comum que alguns pacientes não voltem ou demorem para voltar. Aqui, uma observação, antes de chegar a sua pergunta: considere que 1) há pacientes para quem interromper a terapia pode ser um momento crucial no processo terapêutico, uma escolha autônoma, de crescimento; 2) outros, para quem pode ser um jeito de testar, de aventurar-se; 3) para todos os pacientes, qualquer terapia inclui o momento de seu término – sem isso, uma terapia só serviria para criar uma dependência (mais uma). Em geral, as relações (não só terapêuticas) podem terminar por erro de um ou de outro, mas, em si, a relação que termina não é um erro. Pense nos amores: a duração não é documento. Há casamentos de décadas completamente improdutivos e insignificantes na vida dos cônjuges. E há paixões de uma semana ou duas que marcam para toda a vida, transformam os envolvidos.

Mas sua questão não é apenas sobre as desistências em geral, ela é mais específica, concerne aos pacientes que você recebe para uma entrevista preliminar. Há casos em que você acha que a entrevista não funcionou, não "pegou", e você entende que o paciente continue procurando. E há casos em que você pensa que a entrevista sequer foi "preliminar": o trabalho terapêutico já começou. E eis que o paciente não volta.

Você se pergunta: o que será que fiz de "errado"? Primeiro, lembre-se de que, às vezes, no caminho da procura por um terapeuta que acabará sendo um colega, não você, uma entrevista isolada pode ser ótima para o paciente – por exemplo, esclarecer ou deslocar a razão de sua procura. Ou seja, uma entrevista forte e bem realizada pode ser um ato terapêutico importante, mesmo que ela não estabeleça um vínculo duradouro.

Minha recomendação é: não se iniba, nem pense nisso, você não está lá para que o paciente fique ou continue, mas desde já para que ele descubra algo inédito em suas próprias palavras. Muitos dizem que, quase sempre, nos casos de entrevistas fortes seguidas pelo sumiço do paciente, se há um "erro" reconhecível, ele está no "timing". Ou seja, o terapeuta falou muito cedo. Ele se precipitou ou foi seduzido pela impaciência do cliente, ansioso para ouvir logo, já, suas "quatro verdades". Em geral, por mais que ele ou ela peçam, os pacientes numa entrevista preliminar não estão preparados para isso. Mesmo assim, por que não falar, se você acha que é a coisa mais importante?

Muitos anos atrás, uma amiga minha, virgem aos 30 anos, me pediu uma indicação. O terapeuta, na primeira entrevista, notou e lhe disse que ela sentava cruzando as pernas de uma maneira notável, fechando qualquer acesso e, ao mesmo tempo, produzindo uma tensão com a qual talvez ela, no passado, se masturbasse. A amiga não voltou e me pediu outra indicação, que, aliás, eu neguei, até porque, como ela me disse, o terapeuta tinha razão, era assim que ela se masturbava na adolescência, cruzando as

pernas. Mas ouvir isso na primeira entrevista? "Era terapia selvagem", ela comentou.
Minha estima pelo terapeuta indicado só cresceu.

12. QUESTÕES PRÁTICAS

Minha jovem colega,

Vou tentar responder numa só carta aos vários bilhetes que você me mandou na semana passada. São questões que, quase sempre, embora sejam objetos de reflexões teóricas complexas (às vezes, inutilmente complexas), merecem ser resolvidas com uma certa dose de bom senso.

Regras

Você me pergunta se, no começo de uma terapia, é bom dar alguma indicação ao paciente ou mesmo explicitar algumas regras. Sei que você está pensando, por exemplo, no que se chama, em psicanálise, de regra da associação livre. Algo assim: "Aqui, você deve poder falar livremente de tudo o que lhe ocorrer, mesmo e sobretudo se a coisa lhe parecer fútil, sem medo de falar besteiras e exercendo o mínimo de censura possível; pode falar de sonhos, fantasias, pensamentos estranhos, lembranças aparentemente sem importância etc.: tudo o que passar pela sua cabeça nos interessa". (É importante que a regra, se for dita, não seja recitada como uma reza que a gente conheceria de cor e repetiria sempre do mesmo jeito; melhor improvisar a cada vez, como acabo de fazer.)

O pressuposto que justifica essa regra é o seguinte: no que a gente fala, opera uma lógica interna, que nós não percebemos. Quanto menor nossa intervenção na escolha e na organização do que falamos, tanto mais essa lógica interna poderá nos levar a dizer coisas inesperadas por nós mesmos, a descobrir algo que estava em nossos pensamentos sem que soubéssemos.

Alguns analistas e terapeutas enunciam essa regra no começo de cada terapia e a repetem regularmente, para que o paciente não se perca, por exemplo, em meandros de explicações e elaborações preparadas de antemão.

Outros notam (com razão) que a dita lógica se impõe de qualquer forma na fala de nós todos, mesmo quando fazemos o possível para controlar nossas palavras. Aliás, geralmente, é logo quando tentamos policiar cuidadosamente nosso discurso que podemos cometer um lapso revelador.

Além disso, a experiência mostra o seguinte: quase sempre, mesmo o paciente mais prevenido, que anotou seus tópicos por medo de perder seu tempo ou de não ter nada para dizer, acaba sendo levado, no decorrer da sessão, a falar de coisas que ele não previu.

Um detalhe: se um paciente chegar de papel na mão, decidido a ler o que preparou, e se isso deixar você incomodado, poderá pedir para ele guardar o papel e falar "espontaneamente", pois certamente ele deve se lembrar dos temas que previu tratar.

Agora, lembre-se do seguinte: de qualquer forma, as palavras sempre levarão seu paciente por terras imprevistas.

Então, formular ou não a regra fundamental? Não perca muito tempo debruçando-se sobre essa questão. Decida você também "livremente", ou seja, explicite a regra quando lhe parecer importante ajudar o paciente a ultrapassar seu pudor, sua vontade de se mostrar inteligente ou sua necessidade de construir explicações racionais. Mas cuide disto: enunciar a regra deve servir para autorizar o paciente a falar, não para obrigá-lo a falar do que você quer ouvir. É possível se esconder de si mesmo por trás de racionalizações e assuntos preparados. Mas é possível também se esconder por trás de associações quase poéticas, que pulam de palavra em palavra.

Agora, há duas outras regras que o próprio Freud considerava com simpatia e que, um pouco esquecidas, talvez mereçam sua atenção.

A primeira quase ninguém mais usa. Ela pede ao paciente que, durante sua análise ou terapia, evite tomar decisões cruciais e irreversíveis na condução de sua vida. Não é só porque as melhores decisões seriam tomadas no fim (quer dizer, quando, presumivelmente, as motivações e os conflitos estariam em cima da mesa). É também porque o tratamento agita fortes emoções, e talvez não seja uma boa ideia tomar grandes decisões sob esse impacto.

A regra é sábia, mas encontra dois problemas: 1) hoje, as terapias tendem a durar muito tempo, e pedir que alguém suspenda, por assim dizer, sua vida durante anos parece impossível e injusto, seria pedir muita paciência ao paciente; 2) é frequente que alguém recorra a um analista ou terapeuta para conseguir tomar uma decisão difícil, mudar de emprego, separar-se, casar-se, adotar uma criança, emigrar e por aí vai. Esse tipo de paciente nos consulta porque se sente paralisado pela incerteza: faço ou não faço? Não seria curioso pedir-lhe que se engaje a não decidir nada, ou seja, a persistir na hesitação da qual se queixa?

A segunda regra é também um pouco esquecida, mas, a meu ver, injustamente. Ela pede que o paciente se comprometa a não falar de sua terapia com os seus próximos, familiares e amigos. Há ao menos duas razões que justificam o uso dessa regra. 1) Muitos amigos ou parentes podem hostilizar a cura de um paciente porque receiam (com razão, aliás) que o tratamento modifique a relação que o paciente mantém com eles. Como cada relação é um encaixe em que convivem, mais ou menos harmoniosamente, as neuroses de todos os interessados, é claro que mexer num dos elos significa atrapalhar a vida de todos. Ora, já não é fácil, para o paciente, encontrar coragem de mexer em sua própria vida; parece melhor evitar a tarefa suplementar de lidar com as resistências de seus próximos. 2) A outra razão para fazer valer a regra do silêncio concerne mais especificamente aos casais. Acontece de os membros de um casal recorrerem, separadamente, a analistas ou terapeutas distintos. Às vezes, o casal está em crise, ambos desejam ou declaram desejar que a relação continue, e cada um espera justamente que o outro mude um pouco graças à terapia.

É banal, nesses casos, que as terapias se tornem o objeto favorito da conversa familiar: "O que disse hoje o seu psi?", "E o que disse a sua?". Pois é, quase sempre, por estranha coincidência, o que disse o terapeuta de um membro do casal vale como uma acusação feita ao outro e vice-versa. A paz projetada se transforma numa guerra familiar combatida por terapeutas interpostos, com as interpretações e intervenções dos terapeutas servindo como armas. "O meu disse que você ainda não entendeu que a sua família é esta, não a casa de sua mãe." "Ah, é? Engraçado, porque a minha disse que você passa o tempo todo me criticando para preservar a imagem de seu pai." E por aí vai.

É uma pena, pois, se ambos ficassem calados, as palavras dos terapeutas poderiam realmente surtir o efeito que ambos declaram desejar.

Setting

Você me escreve que nunca sabe direito por quê, quando e como propor a um paciente que deite no divã e por quê, quando e como deixar ou pedir que ele continue sentado na sua frente.

Sobre essa questão, há uma vasta bibliografia. Não vou resumir argumentos teóricos que você já conhece ou que pode facilmente ler e refletir.

Uma coisa é certa: há análises de formação de psicanalistas famosos e reconhecidos que se deram inteiramente no face a face. Ninguém sabe por quê, nem os analistas que se formaram sentados e talvez nem os analistas que os analisaram sentados. A coisa, aparentemente, não foi decidida por alguma razão clínica fundamentada.

Eu me formei deitado, mas, em compensação, meu analista preferia falar comigo no fim da sessão, no face a face, quando eu acabava de me levantar. Então, talvez tenha-me formado em pé.

Minha sugestão é a seguinte: claro, leia e cogite sobre essa questão, mas leve em conta que, como disse o próprio Freud, talvez a decisão possa depender simplesmente de uma questão de conforto, seu e de seu paciente.

Para começar, há pacientes que não aguentam a ideia de falar sem ver a cara de quem escuta, e há pacientes que, ao contrário, não aguentam encontrar o olhar de seu terapeuta. Por mais que essas intolerâncias possam lhe parecer sintomáticas, forçar a barra não tem sentido. A imposição de um *setting* não vai curar ninguém, e seu propósito não é colocar condições que dificultem a relação terapêutica, mas permitir que o paciente se engaje na cura.

Além disso, leve em conta suas próprias exigências. Durante muitos anos, em São Paulo, eu atendi meus pacientes de maneira concentrada, pois permanecia na cidade pouco mais de uma semana por mês. Aos poucos, fui deixando que muitas análises acontecessem face a face. Quando me dei conta e me perguntei por que eu não estava mais convidando meus pacientes em análise a se deitar no divã, descobri o seguinte: no fundo, gostava de tê-los na minha frente porque queria guardar uma lembrança visual de seus rostos durante os tempos de separação. E supunha, claro, que o mesmo valesse para eles.

Alguns colegas poderiam me dizer que essa ideia é cretina, pois o que importa numa análise não são as caras e as caretas, mas as palavras. Concordo sem discutir, mas repito: não tenho nem procuro argumentos teóricos, apenas sentia a exigência de me lembrar bem das caras de quem contava comigo. E não estou convencido de que essa exigência me servisse para ocultar ou esquecer as palavras.

Na contramão dessa exigência, situa-se o cansaço produzido por uma série de sessões face a face. Nem todos os analistas ou terapeutas aguentam passar o dia expostos a uma sucessão de olhares escrutadores, que, inevitavelmente, tentam ler ou adivinhar, na cara do terapeuta, um sinal de aprovação e simpatia ou, então, de rechaço e ironia.

Enfim, nesta matéria, quatro conselhos:

1) Aja de maneira que sua escolha não seja forçada. Nenhum paciente gostaria de perceber que seu terapeuta, no consultório, obedece a formas estabelecidas, sem construir e propor seu próprio espaço.

2) Lembre-se de que, em última instância, o *setting* não é condição nem garantia de nada. Uma análise ou uma terapia acontecem pelas palavras trocadas e pelas relações que elas organizam, não pelas disposições dos traseiros dos interessados. Durante a ditadura militar, na Argentina, mais de um analista se dispunha a encontrar seus pacientes na clandestinidade, no carro, dirigindo, pegando-os de carona.

3) Lembre-se também de que nem o paciente nem o terapeuta estão presos no divã ou na poltrona por parafuso algum. Um paciente deitado há tempos pode decidir um dia que há algo que ele quer dizer olho no olho.

4) Pode acontecer que manter e impor o *setting* prescrito por sua formação se torne, um dia, para você, uma espécie de condição, do tipo: se esta paciente não deitar no divã, não haverá análise possível. Essa rigidez surge, em geral, com um ou outro paciente específico. Bom, se isso acontecer, considere a possibilidade de que você esteja transformando sua poltrona numa fortificação militar e então pergunte-se por quê.

Entrevistas preliminares

Você quer saber quais são as perguntas que coloco e me coloco durante os primeiros encontros com um paciente. Isso, é claro, além das que ajudam o paciente a contar sua história e suas dores e nos ajudam a construir um primeiro esboço do problema.

De fato há, sim, duas perguntas que sempre surgem.

1) A primeira coloco para mim mesmo, na hora de concluir, no fim das primeiras entrevistas. Pergunto-me se, no caso, eu poderia ser de algum auxílio.

Não há quadros patológicos que eu recuse *a priori*, e há poucos casos em que encontro o limite do que aguento escutar (desse tipo de limite, já lhe falei em minha primeira carta, lembra?).

A pergunta que acabo de mencionar introduz um outro critério. Digamos assim: prefiro me engajar com pacientes com quem me parece possível estabelecer uma aliança. Não quero me engajar na cura de um paciente que não possa acolher, no dia de sua sessão, com um pouco de entusiasmo.

A ideia de uma aliança do terapeuta com o paciente foi muito criticada. Entende-se por quê: numa aliança, nada prova que não sejamos aliados justamente dos sintomas do paciente. Concordo, mas é possível imaginar uma aliança diferente; é possível ser o aliado do desejo do paciente contra as razões pelas quais ele se impede de desejar.

Enfim, o que importa aqui é de onde me vem a sensação de uma aliança possível. Sei, por certo, que ela não depende de alguma similitude da história, sintoma ou fantasia. Nunca me incomoda, por exemplo, que as fantasias sexuais de um paciente sejam muito distantes das minhas ou mesmo que elas me pareçam um pouco repulsivas.

No fundo, acho que a sensação de uma aliança possível me vem do mesmo tipo de consonâncias (nem sempre ponderáveis) que decidem, por exemplo, que, ao encontrar alguém pela primeira vez, saibamos se poderia ou não ser nosso amigo.

É provavelmente uma questão de pequenos traços, que parecem não ter importância. Um exemplo de pequeno traço?

A voz. Há vozes de que gosto e outras que me incomodam. Não sei bem por quê. Imagino que nossa relação com a modulação da voz seja o resquício de algo muito antigo (a audição é um sentido que se desenvolve plenamente já no ventre materno). Talvez cada um de nós guarde uma estranha mixagem de músicas e ruídos intrauterinos, cantigas de ninar, conversas familiares etc., que ficam para sempre ligados a uma certa sensação de bem-estar. E talvez exista em nós uma outra mixagem, que seria a coluna sonora do desamparo e da cólica.

O fato é que um terapeuta ou analista não é indiferente às vozes dos pacientes; é bom render-se a essa evidência. Não vejo por que deixaria que um paciente tivesse de lutar, em sua terapia, contra meu desagrado auditivo. Claro, o problema inverso também existe: há vozes que encantam, e não é bem-vindo escutar um paciente como se escuta uma música.

Outro caso ainda são as vozes que adormecem. O sono do terapeuta é geralmente interpretado como uma vontade de não escutar, uma defesa. Mas Roland Barthes, que, obviamente, falava bastante em público, me fez um dia esta confidência: nas suas palestras, nada lhe dava uma satisfação maior, ele me disse, do que constatar que alguém na plateia dormia profundamente. Ele não achava de modo algum que o sono de seu ouvinte fosse prova de desprezo. Ao contrário, pensava o seguinte: quem prestava atenção recompensava os frutos de sua inteligência, mas quem dormia demonstrava uma aceitação e uma simpatia mais profunda; quem dormia não gostava tanto da abstração de suas ideias como da concretude física de sua voz. Em suma, Barthes se sentia lisonjeado quando conseguia adormecer um de seus ouvintes. Talvez o sono do terapeuta seja também, às vezes, o fruto da sedução exercida pela voz do paciente.

Bom, seja como for, melhor não dormir.

2) A outra pergunta que coloco nas entrevistas preliminares é para o paciente. É uma pergunta que comecei

a fazer só recentemente: quero saber o que o paciente espera da terapia que começa.

É óbvio que não confundo o que ele declara esperar com o que ele quer de fato. A pergunta não é feita na ilusão de que o paciente diria assim, de repente e às claras, seu desejo recôndito. Ao contrário, a resposta, em geral, manifesta sobretudo por quais caminhos o paciente está decidido a obstaculizar seu desejo. Por exemplo, "Espero que você me ajude a me separar desse homem" pode significar "Amo esse homem, e não há catástrofe pior na minha vida do que a separação que me espreita, mas disso não quero nem ouvir falar, viu?".

Em suma, nada prova que o terapeuta deva adotar a esperança declarada do paciente como se fosse o alvo de seu trabalho. Então, por que a pergunta?

Nos últimos anos, praticando nos Estados Unidos, lidei com a necessidade de preencher regularmente balanços e prognósticos dos tratamentos para as companhias de seguro de meus pacientes. Essa chatice burocrática teve um efeito interessante; fui levado a me perguntar, a cada três ou quatro meses: O que mudou? Qual foi o caminho percorrido? Onde estamos agora? É diferente de onde estávamos no começo?

Pois bem, descobri que uma maneira de medir o andamento de uma terapia consiste em repetir, regularmente, aquela pergunta inicial. Pois é frequente que a resposta do paciente mude, que ele passe a esperar de sua terapia algo diferente do que ele esperava no começo. Quer seja (sejamos otimistas) porque se aproximou do que ele deseja mesmo e consegue pedi-lo (a si mesmo, ao terapeuta e à vida), quer seja porque achou novos caminhos, talvez menos penosos, de organizar sua fuga do que ele quer.

De qualquer forma, a mudança da resposta me orienta.

A duração da sessão

Você me pergunta qual é a duração de uma sessão. Mal posso lhe dizer quanto dura, mais ou menos, uma sessão comigo. Numa época, parecia-me que a duração das sessões fosse uma questão crucial, da qual dependiam o alcance e o sentido da cura.

De fato, a maneira de medir o tempo da sessão revela modelos terapêuticos diferentes.

A sessão com tempo fixo, quarenta e cinco ou cinquenta minutos batidos por algum relógio, supõe um modelo radiológico, um pouco como se a cura dependesse do número de horas de exposição do paciente ao terapeuta.

A sessão com tempo variável supõe um modelo mais próximo da prática médica ou cirúrgica. Se você está deitado numa cama de operação enquanto lhe retiram o apêndice inflamado, você quer que a coisa leve o tempo necessário e, se, por sorte, a intervenção for rápida, você não despertará da anestesia para protestar, acusando o cirurgião de não dedicar mais tempo à sua barriga.

Na verdade, hoje, acho que a psicoterapia e a análise talvez sejam mais próximas de um terceiro modelo, o de muitas terapias do corpo. A cada vez, a postura é corrigida, a coluna estalada, os músculos relaxados, mas um resultado que não seja apenas um alívio temporário pede uma série indefinida de repetições. Do ponto de vista do tempo, é um modelo intermediário: a cada vez, leva um tempo variável (que depende dos músculos e ossos interessados, de quanto o paciente aguenta naquele dia etc.).

Mas não estou mais disposto a fazer dessa questão o cavalo de uma batalha teórica. Conheço pessoas que parecem ter-se beneficiado bastante de uma terapia e outras para quem a experiência, aparentemente, foi sem consequência: a duração das sessões não parece ter sido um fator decisivo no sucesso ou insucesso das curas.

Minha formação foi, como já lhe disse, na *École Freudienne de Paris*, a escola de Lacan; as sessões variáveis e breves eram um dogma (ao qual, aliás, nem todo o mundo obedecia, a começar pelo meu analista).

Durante anos, trabalhei com sessões breves das quais apreciava a tensão e o sentimento de urgência, que matavam a preguiça da escuta e excluíam rapidamente o papo furado.

Nos Estados Unidos, pratiquei sessões de aproximadamente cinquenta minutos, conformando-me ao padrão exigido pelos seguros americanos, e descobri, por exemplo, que o próprio andamento da sessão, suas pausas, recuos e avanços, é matéria de interpretação.

Hoje, minha fórmula preferida é um tempo variável, mas não breve. Talvez, por temperamento ou pela idade que avança, esteja apenas escolhendo uma atitude intermediária e conciliatória. Mais provavelmente, encontrei um ritmo que convém à minha atenção e à minha maneira de escutar e intervir. Gosto de ter o tempo para que uma lembrança seja evocada e explorada e para que um sonho seja analisado. Mas me reservo a possibilidade de interromper a sessão quando um pequeno ou grande achado poderia ser anulado pela necessidade de encher linguiça para preencher o horário.

Tenho um hábito que alguns pacientes estranham: não costumo atribuir horários definitivos, prefiro marcar a cada vez ou quase. É um incômodo, certo, mas gosto de ser surpreendido pela pessoa que encontro na sala de espera. Evito, em suma, a rotina que transforma Fulano no paciente das 9h e Sicrana na paciente das 10h.

Outro detalhe: acontece de me atrasar, não só porque às vezes uma sessão pode durar muito mais do que o previsto, mas sobretudo porque (como anuncio a meus pacientes) tento ser disponível numa urgência. Se um paciente, por alguma razão, quer me falar de repente, naquele mesmo dia, invento um horário.

Todos esses jeitos não constituem um modelo e, de fato, não têm (não quero que tenham) uma justificativa teórica. Minha intenção, ao expô-los, não é sugerir que você os adote. Ao contrário, quero sobretudo encorajá-la a inventar uma maneira de atender que seja a sua própria.

Pagamento

Pois é, quem paga? Como?
Durante minha formação e quando era um jovem analista, em Paris, vigia a ideia de que uma terapia e, mais ainda, uma análise deveriam ser pagas pelo bolso do próprio paciente. O uso de qualquer forma de seguro parecia uma heresia fadada ao fracasso: o acesso ao desejo da gente, dizia-se sem hesitar, não é um direito social, é preciso conquistá-lo com sacrifício. Inventavam-se, aliás, artifícios extraordinários para que também a prática com crianças e adolescentes respeitasse o dogma. Claro, os pais pagavam, mas a criança devia trazer a cada vez um desenho; o adolescente levava o cheque de 140 francos, e acrescentava 10 da sua mesada, e por aí vai.

Pairavam sobre nós ameaças apavorantes: se o seu paciente não tirar o dinheiro do bolso, ele pagará com sua carne. No mínimo, o paciente que recorresse ao seguro-saúde se amputaria um dedo a cada noite na hora de cortar o pão, e a culpa seria nossa.

Quem trabalhava em ambulatório ou em outras instituições públicas era considerado com suspeita; não eram verdadeiros terapeutas e ainda menos analistas, pois, por mais que eles se comportassem direitinho, seus pacientes não pagavam. Ainda hoje, há quem esnobe convênios sob o mesmo pretexto.

Ora, quem trabalhou no serviço público sabe que nada disso é verdadeiro. As resistências de um paciente a seu próprio tratamento não são vencidas pelo esforço de pagar. Aliás, há pacientes para quem pagar é uma boa desculpa: estou fazendo tudo o que preciso para melhorar; prova disso: estou pagando.

Além disso, para um adolescente, por exemplo, ver a mãe ou o pai preenchendo um cheque pode ser um "pagamento" bem mais pesado do que dedicar à terapia uma parte de sua mesada; para outro sujeito, o esforço de vir de longe é um sacrifício bem maior do que pagar o valor da sessão.

O engraçado é que, na França, quando a situação econômica apertava um pouco, os medalhões que nos ensinavam que o paciente devia imperativamente pagar de seu bolso (sem isso, ele nos ofereceria pedaços de sua carne) passavam a preencher e assinar alegremente os formulários do seguro-saúde de seus pacientes.

Mais uma questão: é frequente que o orçamento do paciente determine o número de sessões que ele poderá ter por semana. Pode pagar três? Não pode? Então duas. Não me conformo com esse cálculo. A frequência das sessões deveria depender das necessidades da cura que, aliás, podem variar. Há momentos (quer sejam produtivos e acelerados, quer sejam de uma viscosidade quase parada) em que posso querer encontrar meu paciente a cada dia; há outros momentos em que a cura parece precisar de um tempo de suspensão ou de digestão.

Às vezes, sonho com um sistema em que o paciente pagaria uma mensalidade fixa, e o número de sessões do mês seria variável, segundo o que pedem a cura e seu momento. Mas é uma utopia, claro.

Supervisor

Quanto à escolha de um supervisor, só duas indicações.

1) Sua supervisão não deveria custar mais do que você ganha atendendo o paciente cujo caso você decidiu supervisionar.

2) Como reconhecer um bom supervisor? É simples. A supervisão não é uma aula de clínica ou de arte diagnóstica. Também não é a ocasião para o supervisor mostrar como e por que ele teria agido diferente de você.

A função da supervisão de um jovem terapeuta ou analista, exceto situações catastróficas, deve ser autorizar o terapeuta, inspirar-lhe a confiança em seus próprios atos, sem a qual nenhuma cura será possível.

Aliás, falando em confiança, eu queria que você deduzisse dessa pequena série de notas práticas só uma regra: confiou a ponto de autorizar-se a atender, continue.

Abç.

BILHETE

SAÚDE PÚBLICA

Você me pergunta se as psicoterapias poderiam ou não ser oferecidas pela saúde pública, pelo SUS, por exemplo.

Imagino que você pergunte porque já se aventurou em algum instituto de formação (sobretudo de psicanálise) e lá ouviu várias razões pelas quais uma psicoterapia não deveria ser oferecida gratuitamente nem reembolsada pelo plano de saúde. A mais elegante dessas razões é a que diz que ter acesso ao desejo da gente deve ser não um direito, mas uma conquista – que, portanto, tem que ser paga, com suor, sangue e dinheiro. Justamente, desconfio um pouco de todas as explicações "elegantes", que "convencem" pela concisão e pelo tom épico, como um hino patriótico. Enfim:

1) Pagar não garante nada; como já disse, há quem pague uma psicoterapia justamente para que sua preguiça em se questionar seja desculpada e absolvida: estou pagando uma terapia, não é suficiente? Que mais deveria fazer para você ficar feliz?

2) Mesmo se uma cura for gratuita ou reembolsada, por que o acesso ao desejo da gente não seria uma conquista? A longa e dolorosa fisioterapia de alguém que perdeu temporariamente o uso de um

membro, será que não é uma conquista por ser gratuita ou oferecida pelo sistema de saúde?

Agora, existe o argumento dos seguros públicos e privados, que recusam esse gasto, porque, dizem, seria muito caro pagar por longas psicoterapias. Acontece que há pesquisas para mostrar que pacientes em terapia prolongada acabam sendo mais baratos para o sistema de saúde porque pedem menos consultas e exames médicos e tendem a pedir licenças médicas menos frequentes e mais curtas.

13. CONFLITOS INÚTEIS

Meu jovem colega,

Entendo sua preocupação com fármacos e neurociências. Ao saber que você é psicoterapeuta ou psicanalista (além disso, jovem), quase sempre haverá alguém que, com uma espécie de comiseração, perguntará se você não receia ter-se engajado numa profissão sem futuro. Afinal, acrescentarão, com os progressos da farmacologia e das neurociências, quem vai precisar do transtorno de uma terapia, quando poderia regrar a questão com uma pílula ou duas ou, quem sabe, no futuro, com uma pequena intervenção neurocirúrgica (laser, claro, ninguém gosta de bisturi na cabeça)?

Já lhe disse que, em regra, essas observações "amistosas" manifestam sobretudo o temor (imotivado) que é produzido por sua presença. São jeitos de seus comensais se protegerem de um saber que eles mesmos lhe atribuem.

Só vale a pena acrescentar o seguinte: em regra, a disputa entre psicoterapia ou psicanálise de um lado e biopsiquiatria ou neurociências do outro é uma falsa disputa. Na minha experiência, quem alimenta essa oposição não conhece quase nada de psicoterapia ou psicanálise e sabe ainda menos de farmacologia e de neurociência.

Quem conhece os assuntos e pratica ou pesquisa numa das ditas disciplinas sabe que não há disputa alguma, nem de fato nem de princípio. Se uma espécie de controvérsia ressurge regularmente, isso se deve a duas razões: para a mídia, o tema é bom para um especial do domingo; para alguns interessados (as companhias farmacêuticas e alguns profissionais das três áreas), talvez funcione a ideia de que é preciso defender sua fatia de mercado.

Deveria parar por aqui, mas, enfim, vou lhe dizer muito brevemente o que respondo quando não tenho como mudar de mesa.

Primeiro, a pretensa oposição entre psicoterapia e fármacos.

Sou materialista. Não acredito na existência de humores que não sejam alterações químicas do meu cérebro. Se alguém me xinga, se morre um amigo, se por acaso me lembro de um acontecimento feliz de minha infância, as emoções que me invadirão, boas ou ruins, podem, sempre e legitimamente, ser descritas como fenômenos químicos que acontecem no meu cérebro. Aliás, são fenômenos químicos.

Hoje, somos capazes de descrever quimicamente algumas emoções, de uma maneira ainda incipiente, mas já relativamente fina. É ótimo, porque isso abre a possibilidade de agir sobre essas emoções.

Fico triste porque meu amigo morreu; quem sabe no futuro exista um inibidor da captação da serotonina de ação imediata, e poderei engolir a seco uma pílula que, numa meia hora, permitirá que eu volte a sorrir.

É óbvio que não terei agido sobre a causa de minha tristeza (meu amigo continua morto), mas, graças à descrição química de minha emoção, terei conseguido modificar meu humor. A mesma coisa aconteceria caso recorresse a um fármaco para aliviar os efeitos maníacos de minha lembrança de infância feliz.

A farmacopeia pode agir sobre a causa de meu humor (e não apenas sobre meu humor) quando meu humor não é só um estado químico (este é sempre o caso), mas é também de origem química. Por exemplo, uma depressão produzida por uma insuficiência da tireoide é um humor de origem química, que é, portanto, propriamente curado em sua causa por um suplemento hormonal correto.

Esses casos são relativamente raros. Mesmo as depressões ditas endógenas (ou seja, que não parecem ser causadas por fatos externos à vida do paciente) são, em geral, efeito de processos complexos de pensamentos e representações. O que, de novo, não significa que não sejam descritas adequadamente em termos químicos.

Ora, é óbvio para qualquer psicoterapeuta que, em muitas situações, é aconselhável tentar modificar o humor do paciente quimicamente. Por exemplo, um paciente deprimido a ponto de não sair da cama e não abrir a boca também não terá a mínima motivação necessária para operar algumas mudanças em sua vida, com ou sem a ajuda de um terapeuta. Uma correção química do nível de serotonina poderá, com um pouco de sorte, permitir que ele encontre as forças para se mexer.

Mas ninguém, com exceção talvez dos acionistas das companhias farmacêuticas, sonha com um mundo em que as causas de nossos afetos seriam sistematicamente negligenciadas, e nossos humores, pacificados com uma contínua intervenção química capaz de impor ao cérebro um equilíbrio ideal. Todos sabemos que, por mais que eu tome a pílula mágica na hora da morte de meu amigo, algum dia terei de enfrentar a dor de um luto. A não ser que decida viver para o resto de minha vida sob anestesia.

Vamos às neurociências.

Aqui a ideia de um conflito é mais engraçada ainda. Parece que os próprios psicoterapeutas e psicanalistas adoram encontrar nas descrições neurocientíficas alguma confirmação de suas hipóteses.

Estaríamos todos esperando que alguém nos aponte onde está o supereu, onde está o inconsciente. Cadê minha mãe, cadê meu pai? Ou então torcendo para que as descrições da atividade neuronal nos digam enfim o que é uma lembrança, o que é uma associação, como se impõe um pensamento obsessivo, como somos invadidos por uma fantasia sexual etc.

É bem possível que, um dia, as neurociências correspondam a nossas expectativas. O que será de grandíssima ajuda na clínica de lesões cerebrais e disfunções de todo tipo etc.

No entanto, os efeitos dessas descobertas sobre a prática da psicoterapia ou da psicanálise serão mínimos, se não nulos. Por quê? Porque a descrição neurocientífica de nossa atividade cerebral não altera nem um pouco as condições de nossa experiência. Um exemplo vai logo explicar.

Imagino que você não acredite na existência de uma alma fora do corpo e diferente dele. Você também sabe que o corpo humano, com cérebro e tudo, é um complexo de células e moléculas, sem contar os íons. Em especial, você sabe que somos compostos de 70% de água.

Agora, será que, em algum momento, você se enxerga mesmo como 40 litros de água e uma espiral de DNA? Claro que não. Sua experiência de vida não é modificada por esse saber, do qual você está justamente convencido. Uma coisa é a descrição científica de nós mesmos, outra coisa é nossa experiência.

Se um dia alguém descobrir o eletrodo certo (e o lugar correto onde aplicá-lo, claro) para que eu pare de pensar num acidente cuja lembrança não me deixa dormir, imaginemos que eu peça para ser livrado dessa lembrança. Ora, na hora da intervenção, mesmo que eu seja neurocientista, minha experiência do que estará sendo feito comigo será a experiência de uma mudança imposta à minha subjetividade, não a meus neurônios. A descrição neuronal da subjetividade não altera nossa vivência subjetiva.

Procurar uma correspondência entre a sensação de que o olhar de Deus paira sobre mim e uma repetida agitação neuronal em alguma área do meu cérebro é fútil.

Cada descrição introduz a possibilidade de clínicas diferentes sobre objetos diferentes. A conversa entre essas descrições e essas clínicas é de grande interesse, mas é tudo, menos um conflito.

Abç.

BILHETE

Concordo: frequentemente, uso "psicoterapia" como se fosse sempre psicoterapia psicodinâmica, ou seja, uma terapia que foca nos nossos conflitos internos. E há terapias cujo foco é outro. Você pergunta: "Não há guerra aberta entre orientações diferentes?".

De fato, eu não acredito nessa guerra – não acredito que haja ou que deva haver guerra. E tendo a minimizar esses conflitos. Falo frequentemente com colegas cognitivo-comportamentais ou gestaltistas, por exemplo, e constato que a distância entre orientações é menos radical do que nos deixaria pensar a rivalidade (a competição no mercado) entre disciplinas. Na prática, orientações se misturam sem se confundir. Qualquer psicanalista recorre, mesmo sem saber e sem querer, a intervenções perfeitamente comportamentais e cognitivas, e qualquer comportamental leva em conta os conflitos internos de seu paciente. Um psicanalista pode levar grande parte de uma terapia se dedicando ao momento presente de seu paciente e, reciprocamente, um gestaltista pode se dedicar à neurose infantil de seu paciente.

Existe uma licença americana (*Mental Health Counselor*) cujo exame de admissão funciona assim: você recebe a transcrição do que lhe diria um ou uma paciente ao chegar em sua primeira entrevista. Você deve escolher as perguntas que colocaria se fosse o terapeuta consultado. Se acertar, terá informações suplementares. Aos poucos, se colocar as perguntas certas (obtendo assim os dados que faltam), você deveria chegar a um diagnóstico e, sobretudo, tomar a seguinte decisão clínica: para qual tipo de terapia você encaminharia a ou o paciente?

Se você quiser ser aprovado, seja qual for sua orientação preferida, é bom renunciar à onipotência habitual. Suponhamos que a paciente seja uma executiva que tem medo de voar e precisa subir num avião a cada semana; sem entrar muito no mérito da causa (infantil ou dinâmica) da fobia da paciente, você deveria escolher o caminho mais rápido (no caso, uma terapia cognitivo-comportamental especializada, com sessões dentro de um avião etc.).

Uma vez acertado o diagnóstico e o encaminhamento para a terapia apropriada, você é chamado a descrever qual será a estratégia do terapeuta da orientação escolhida (que muito frequentemente é diferente da sua). Isso força o *mental health counselor* a ter uma ideia clara do que são e como operam as outras orientações terapêuticas.

Minha prática de turismo terapêutico (que já descrevi na carta 4, sobre o custo da formação) me foi muito útil nesse sentido.

Existe uma situação específica (e não rara) em que duas orientações terapêuticas coexistem. É o que acontece com os indivíduos que perseguem sua formação numa orientação enquanto praticam em outra. Por exemplo, alguém se analisa e deseja se tornar psicanalista; enquanto isso, ele trabalha como psiquiatra ou como *coach*. Aos poucos, inevitavelmente, sua prática se transforma e haverá dias em que não saberá mais qual está sendo sua prática. Não vejo nada de errado nisso – mas durante um certo tempo, numa fase de transição.

Um terapeuta que não aderisse a nenhuma orientação definida e se mantivesse por assim dizer "aberto", com a ideia, por exemplo, de ele praticar uma terapia diferente para cada paciente, além de acabar sendo provavelmente medíocre em cada orientação, deslizaria, aos poucos, para a prática de uma genérica direção de consciência, tão ineficiente como o conforto oferecido pelo papo legal de um amigo da padaria.

14. A SEXUALIDADE PARA A PSICANÁLISE

Caro amigo,

Sim, não é o caso de todas as orientações terapêuticas, mas a psicanálise, especificamente, atribui uma importância crucial ao desejo sexual e à sexualidade.

Essa é uma crítica que a psicanálise recebeu desde seus primórdios e especialmente desde que Freud revelou que o desejo sexual já está lá na infância. É inclusive uma crítica que surgiu entre os primeiros adeptos da psicanálise (por exemplo, foi uma das razões que fez Jung se afastar de Freud).

A pergunta que a psicanálise recebe é parecida com a sua: "Mas por que vocês enxergam tudo pelo prisma da sexualidade? Por exemplo, os afetos familiares pai-filha e mãe-filho seriam já e desde sempre sexuais? A amizade entre homens ou entre mulheres seria um tipo de homossexualidade reprimida? Será que esses afetos não poderiam ser outros, diferentes, não sexuais? E talvez se tornarem sexuais depois, mais tarde?".

Pois bem, como dizem as crianças quando um adulto chega para separar uma briga, não fomos nós que começamos.

A psicanálise coloca o sexo ao centro de seu entendimento do mundo porque a cultura ocidental cristã fez do sexo o centro proibido do mundo.

Ou seja, a psicanálise não inventou a centralidade do sexo: quem a inventou foi a repressão do sexo.

Resumindo muito uma história que ainda precisa ser contada e recontada, aconteceu o seguinte:

O ideal do mundo clássico, tanto grego como romano, era o autocontrole: um ideal moral e estético de controle das paixões pela razão. Entre as paixões, claro, tratava-se de controlar também o desejo sexual.

O desejo sexual é uma boa metáfora das paixões que nos dominam e que é difícil controlar. De fato, a concupiscência, a fantasia e a excitação sexuais surgem, às vezes, sem ser convidadas.

Talvez seja por isso que o membro masculino substituiu o feminino como símbolo do sexo – porque a ereção é, ao mesmo tempo, involuntária e visível, ou seja, um símbolo adequado do descontrole que se tratava de reverter.

A partir do terceiro século de nossa era, o cristianismo incorpora o ideal clássico de autocontrole, mas com uma diferença substancial: o foco do autocontrole se torna quase exclusivamente o sexual. Toda a paixão clássica pelo controle de si se transforma em imperativo de recalcar especificamente o sexual, que se torna sinônimo do descontrole e do diabólico.

O sexual se tornou assim, no Ocidente cristão, o protótipo do que se trata de controlar e reprimir – e isso principalmente por duas razões:

1) Alguns neuróticos graves queriam amar só a Deus, mas se sentiam constantemente tentados por seus desejos sexuais; eles se tornaram boçais: quiseram impor uma regra geral igual à probição que tentavam mas não conseguiam se impor.

2) Nesse processo, eles conseguiram aliviar sua culpa, colocando, na origem de seu desejo, não eles mesmos, mas a tentação que fazia com que eles se descontrolassem. Usaram o conto inicial da Bíblia para inventar o demônio e a mulher (como representante dele) como responsáveis pelos desmandos de seus pênis.

Em suma, não foi Freud que decidiu que o sexo estaria ao centro da indagação psicanalítica do inconsciente, foi o cristianismo dos primeiros séculos que conseguiu fazer que o sexo fosse o cerne do reprimido. Freud foi, como dizem seus críticos, "pansexualista", porque Agostinho, Paulo, Tertuliano e outros santos e doutores fizeram o necessário para colocar seu tesão descontrolado ao centro reprimido da cultura ocidental.

Abçs.

BILHETE

Você me pergunta: é possível analisar pessoas profundamente religiosas? E o que diz a psicanálise sobre a religião? Entendo assim: você quer saber qual seria o risco para sua fé religiosa, caso você se submetesse a uma terapia (especialmente psicanalítica). Certo?

A psicanálise (e acho que a maioria das orientações psicoterápicas não me contradiriam) constata que Deus é uma necessidade da mente. Faça com isso o que quiser: você pode concluir que Deus é "só" isso, ou seja, não existe, ou dizer que, se é algo inscrito na nossa maneira de pensar, é porque ele existe. Essa seria uma nova versão do argumento ontológico: deduzir a existência de Deus a partir de sua necessidade para o pensamento humano.

Da mesma forma, constato que a hipótese de Deus é uma parte integrante da luta humana contra a irrelevância e a insignificância de nossas vidas. É um argumento a favor? Não sei. Para algumas orientações psicoterápicas, sim. Para a psicanálise, nem tanto.

A psicanálise defende a ideia de que sofremos sobretudo do excesso de significação que nos atribuímos e da dificuldade para aceitar nossa insignificância. Um grande psicanalista de crianças disse um dia que ele esperava de uma terapia que uma criança pudesse se resignar a ser apenas uma entre outras – nada excepcional, nem sequer aos olhos dos pais. Então, a hipótese de Deus cura ou adoece?

Analisei muitas pessoas religiosas – obviamente, sem eu me engajar contra isso e sem que elas arriscassem perder, por isso, a fé.

Os rituais religiosos se parecem com sintomas de neurose obsessiva, mas as religiões, como visões do mundo, explicações gerais de seu sentido e do nosso, são delírios psicóticos. O que as diferencia dos delírios dos ditos "loucos" é que ela tiveram e têm sucesso: são delírios compartilhados por multidões. Com isso, eles cessam de ser propriamente delírios.

Para o psicoterapeuta, a fé de um paciente não tem como ser um problema, a não ser, claro, que o paciente peça para ser liberado dela como de um sintoma. Vi isso acontecer uma vez, com alguém que era religioso praticante, atormentado por dúvidas fortes em sua fé, e que sofria de pavores extremos quando se aproximava do sagrado (da eucaristia, por exemplo). Aí tratava-se de decidir se o sintoma era o pavor da real presença divina na eucaristia ou a desconfiança e o medo dele de que, na hóstia, só tivesse farinha.

Outro conflito frequente é quando os votos de castidade de um padre entram em conflito com uma paixão amorosa. A saída não é necessariamente a renúncia à fé religiosa (ao contrário, não conheço padres e religiosas que, casando, tenham mesmo renunciado à fé e passado por uma apostasia).

Enfim, uma análise não tem nenhuma razão de acabar com a fé religiosa de um indivíduo. A não ser que seja o que ele ou ela queiram.

Mas há uma coisa que uma terapia analítica altera, sim, na fé religiosa de quem quer que seja: qualquer terapia, como já disse antes, tende a curar a boçalidade missionária. Em outras palavras, é muito difícil sair de uma psicoterapia com a vontade de impor nossas regras de conduta aos outros – mesmo que a gente acredite que nossas regras garantem o acesso ao paraíso eterno. O fato é que a vontade de impor nossas regras aos outros sempre deriva do fato de que nós mesmos não conseguimos respeitá-las. Ou seja, tentamos impor aos outros as regras que nós mesmos não conseguimos respeitar (essa é a definição da boçalidade).

Numa terapia, em tese, descobrimos que 1) as regras que não conseguimos respeitar são, muitas vezes, dispensáveis e, 2) de qualquer forma, impô-las aos outros não ajuda a nós mesmos respeitá-las.

Aproveitando o que lhe disse sobre a fé religiosa na carta passada, você amplia sua questão original e me pergunta se não há coisas das quais a terapia pode nos "curar" acidentalmente – coisas das quais preferiríamos não ser curados.

Você evoca o caso de artistas ou escritores, por exemplo, que receiam perder a inspiração se eles perderem sua neurose. Na verdade, muitos transformam sua luta contra a neurose em arte, ou seja, são artistas contra sua neurose, e não por causa dela. Mas entendo a pergunta: ser artista graças à sua neurose (ou mesmo à sua psicose, ao seu alcoolismo etc.) é um grande mito romântico.

Ou seja, não penso que o sofrimento psíquico seja sempre uma condição da produção artística. Mas os benefícios secundários de neurose e loucura existem. E os destinos são singulares demais para dizer. Também é verdade que a transformação produzida por uma terapia tem efeitos que não são calculáveis de antemão.

Pergunta: se Van Gogh tivesse passado por uma terapia longa e bem-sucedida, será que ele teria sido o pintor que foi?

Como seria Van Gogh sem o sofrimento, a ânsia de pintar e sem uma visão quase alucinada do mundo?

Outra pergunta, cruel: para que ele se sentisse melhor, você renunciaria ao que ele nos deixou? Renunciaria à pintura dele?

15. INFÂNCIA E ATUALIDADE, CAUSAS INTERNAS E CAUSAS EXTERNAS

Cara amiga,

Pelo que você me conta, seus primeiros pacientes falam, sobretudo, do que lhes acontece hoje. Queixam-se das dores do dia e, eventualmente, da sensação de uma certa falta de futuro. É você, com suas perguntas, que tentam evocar o passado, especialmente a infância. Aliás, de vez em quando, leva uma bronca, como daquele paciente que lhe disse: "Olhe, eu não estou aqui para falar de meus pais, de meus irmãos e de meus primeiros anos no interior, meu problema é agora".

Claro, você não se deixa abalar e segue perguntando. Afinal, passou anos de formação aprendendo que, para que a cura aconteça, é preciso tocar na raiz das dores de seus pacientes e que essa raiz, de uma maneira ou de outra, está na infância. Mesmo assim, você se pergunta: deveríamos sempre procurar na infância, e só na infância, as razões do sofrimento psíquico, mesmo que nosso paciente afirme o contrário? É certo insistir na evocação do passado diante de uma catástrofe atual? Às vezes, você observa, "sinto-me um pouco idiota: 'Perdi o emprego e estou desesperado', anuncia o paciente, e eu faço o quê? Pergunto-lhe se lembra de quando o filho dos vizinhos roubou o seu carrinho de madeira? O que você acha?".

Na verdade, não faço uma grande diferença entre acontecimentos da infância e acontecimentos da vida adulta (também não sei muito bem quando começa a vida adulta). Explico melhor: não estou nada certo de que os acontecimentos da infância sejam de uma natureza diferente do que nos acontece hoje. Tampouco sei se é verdade que, pela receptividade de nossos primeiros anos, eles nos marcam com um ferro mais quente, que deixaria vestígios para a vida inteira.

Mas uma coisa sei: qualquer evento nos marca e nos transforma só na repetição ou, melhor dito, num segundo momento, em que ele é evocado, retomado, revivido. Por exemplo (fictício e obviamente simplificado), se eu fui abandonado na porta da igreja quando bebê, esse evento por si só não tem uma implicação necessária em minha vida; mas ele se torna decisivo no dia em que, aos quinze anos, minha namorada some de uma festa para onde fomos juntos de mãos dadas. É esse segundo evento que dá destaque (consciente ou inconsciente) ao primeiro. É a partir desse segundo evento que, possivelmente, começarei a viver uma angústia desamparada cada vez que estiver sozinho ou (também possível) a não tolerar a presença de ninguém ao meu lado, pois "sei" que todos são traidores que abandonam.

O funcionamento do trauma propriamente dito é o melhor exemplo. Você sabe que a categoria de "transtornos de estresse pós-traumático" foi proposta por psiquiatras americanos que trabalhavam com veteranos da guerra do Vietnã. Eles constataram duas coisas: 1) a guerra do Vietnã produziu uma percentagem de veteranos traumatizados muito maior do que qualquer outra guerra americana (Segunda Guerra Mundial, Guerra da Coreia); 2) os sintomas de estresse pós-traumáticos não apareciam logo após as situações extremas de batalha; eles apareciam quase sempre quando o veterano terminava seu tempo de serviço, voltava ao país e deixava o exército.

Concluíram assim: o caráter traumático de um acontecimento não depende de alguma qualidade específica da experiência vivida, mas é um efeito de como, mais tarde, essa experiência pode ou não integrar uma história que faça sentido para o sujeito. Os veteranos da Guerra da Coreia, e ainda mais os da Segunda Guerra, viveram situações tão horríveis como os combatentes do Vietnã, mas, ao voltar para casa, eles encontraram multidões agitando bandeirinhas de boas-vindas. Os veteranos do Vietnã voltaram para um país indignado e envergonhado com uma guerra que parecia não ter sentido para ninguém.

Um trauma é isso: um evento, mais ou menos difícil, que, num segundo momento, não consegue ser integrado à história do sujeito.

Outro exemplo. Será que um tapa na cara de uma criança constitui um trauma ou não? Não é possível responder; ainda é preciso saber se, mais tarde, o sujeito esbofeteado encontrará ou não argumentos para dar algum sentido ao dito tapa. Os sentidos que podem ser encontrados *a posteriori* são muitos; o nosso sujeito, num segundo momento, poderá entender o tapa como a expressão de uma autêntica vontade pedagógica de pais amorosos ou como a manifestação de uma irritação que não tinha nada a ver com ele ou do desespero de quem não consegue ser pai ou mãe. O tapa será propriamente um trauma caso o sujeito, num segundo momento, não encontre sentido algum para a violência que o golpeou.

Mas não é a definição do trauma que nos importa. Com esses exemplos, queria apenas lhe mostrar que os fatos de nossas vidas agem em nós pela história a que se integram ou, melhor, pela história a que conseguimos ou não integrá-los.

Não que a vida seja um *continuum*. Ao contrário, não é; reconstituir (melhor dito, inventar) um sentido que ligue o presente ao passado é uma obra incessante, que nos oferece um conforto necessário, nos dá a sensação de que atos e fatos se inserem numa história, num conjunto, que somos nós. Aliás, reinterpretar o passado, descobrir (ou inventar) novos sentidos para o que aconteceu é quase sempre uma maneira de mudar nosso presente. Pois, no fim dessa empreitada, sendo o resultado de uma narração diferente, somos mesmo diferentes.

Qualquer cura tem duas faces: uma, digamos assim, demolidora, que desfaz as certezas cristalizadas da história que nos acua em sintomas que, à vista de nosso passado, parecem inelutáveis, e outra, construtiva, que nos permite reinventar ou modificar um pouco a história da qual seríamos o fruto.

Talvez tenha conseguido explicar um pouco por que a infância se torna importante em nosso trabalho. Não é porque os eventos da infância seriam mais marcantes do que os de hoje, mas porque os eventos de hoje tomam relevância e sentido a partir daqueles de nosso passado e, portanto, de nossa infância.

Agora, cuidado: um dos traços evidentes de nossos tempos é que o sentido do presente é procurado muito mais no futuro do que no passado. Era inevitável: a modernidade define o sujeito não por sua herança, mas por suas potencialidades. À primeira vista, é uma libertação: o passado não nos define mais com a mesma veemência, os anseios de mudança podem salvar meu dia. Na verdade, a libertação é apenas aparente: o futuro projeta sobre o presente uma sombra tão escura como a que antigamente era projetada pelo passado.

Parece que saímos de uma cultura em que o passado nos impedia de inventar o presente para entrar numa cultura em que o futuro nos impede de saborear o que estamos vivendo.

É frequente, por exemplo, que alguém recuse um namoro porque "não sabe no que vai dar". O prazer que uma relação proporciona é preterido porque duvidamos de seu futuro. Mais um exemplo, que conheço bem, por tê-lo encontrado em muitos pacientes e por ter passado perto de vivê-lo. Durante quase dez anos, vivi entre Nova York e São Paulo. O grande prazer de viver em duas metrópoles entre as mais interessantes do mundo podia ser facilmente estragado pela incumbência da escolha futura do lugar onde fincaria pé na hora em que parasse de viajar.

Enfim, para entender como e quanto o futuro pode parasitar o presente, pergunte aos adolescentes. Em geral, eles não aguentam mais ser considerados sempre como promessas de um futuro e vivem na impressão de que os adultos que mais os amam desconsideram o presente de suas vidas.

Duas razões, então, para que façamos o esforço de evocar o passado, em cada cura: para reinventar o sentido de uma história e para amenizar o peso do futuro, devolvendo assim, quem sabe, seu justo lugar ao presente de nossas vidas.

Você se queixa também de que alguns de seus pacientes parecem considerar que todos os seus males são, por assim dizer, resultados de causas externas: perderam o emprego e não encontram um que os satisfaça; foram abandonados por suas esposas e esposos; carregam uma doença que os ameaça e os assola. Enfim, eles lhe propõem o catálogo de todos os vasos de flores que um ser humano pode receber na cabeça ao sair de casa.

Claro, você me escreve, deve ser possível ajudá-los a aguentar melhor os golpes do destino e mesmo a reagir com mais eficácia, mas, no fundo, ao escutá-los, parece que sofrem só da adversidade do mundo. Às vezes, você acha que sua intervenção seria mais eficaz se você se transformasse em casamenteira, agência de emprego ou orientadora profissional. Chega a suspeitar que suas perguntas sejam desonestas, como se elas supusessem sempre a responsabilidade de seu paciente e como se essa suposição tivesse a finalidade de convencer seu paciente da utilidade de recorrer aos seus serviços.

Essa distinção entre eventos externos e eventos internos, culpa da gente e culpa dos outros, alimenta um conflito infindável entre sociólogos e psicoterapeutas ou, às vezes, entre psicólogos sociais e psicólogos clínicos. No ringue, parece que se enfrentam dois lutadores: de um lado, os que acham que a personalidade e os sintomas são frutos da cultura, do emaranhado das relações e dos acidentes da vida; do outro, os que acham que personalidade e sintomas são frutos da dinâmica interna de impulsões, desejos e censuras que se originariam no fundo singular da alma.

É um enfrentamento idiota; mais um na lista dos conflitos inúteis.

Primeiro, Fernando Pessoa (em muitas ocasiões, os poetas são mais sábios do que os psicanalistas) já sabia que "o mundo exterior é uma realidade interior". Segundo, como disse uma vez Lacan, o inconsciente não é nem individual nem coletivo, ele é "o" coletivo mesmo. Em outras palavras, nosso lugar único e singular é como o assento que nos é reservado numa sala de teatro: ele é o nosso, está escrito no ingresso, mas ele é o lugar imposto pela distribuição dos outros na mesma sala; às vezes, há lugares sobrando e, no meio do espetáculo, dá para mudar e se aproximar do palco, mas será um pouco de penetra; nosso lugar designado é o que recebemos na compra do bilhete. Será que faz sentido perguntar-se se é um lugar individual ou coletivo, posto que é o nosso, mas é decidido pela distribuição na sala dos que assistem ao espetáculo junto com a gente?

Acrescente a isso a constatação de que, uma vez sentados, o que comandará nossas emoções e nossa participação na peça será, sim, nossa singularidade, mas uma singularidade feita de valores, obrigações, censuras, repressões e desejos que são os mesmos que agitam os outros espectadores, os quais aplaudem, riem, choram ou vaiam conosco.

Também considere (esse é um conselho clínico) que existe uma ampla gama de transformações da personalidade que são propriamente ditadas pela situação coletiva na qual um sujeito se encontra.

Por exemplo, a mudança de cultura que acontece numa migração acarreta verdadeiras mudanças subjetivas.

Menos benigno e muito frequente é o caso dos sujeitos que sucumbem ao fascínio do grupo.

É bem conhecido o exemplo de homens comuns, de todos os horizontes da vida, que se transformaram em torturadores ou assassinos em massa nas burocracias totalitárias, sem que nada na singularidade de suas histórias, sintomas ou fantasias os predispusesse a essas tarefas. Desistiram de seus valores, de seus desejos, de suas repressões singulares e ganharam em troca o conforto de uma vida regrada por uma só exigência: a de ser um membro funcional do grupo, um bom funcionário.

A gangue de adolescentes produz resultados parecidos, transformando facilmente cordeiros em assassinos.

Nela, cada um suspende radicalmente sua existência à aprovação dos outros.

São casos aparentemente extremos pelas consequências que acarretam. Mas não esqueça que somos todos membros de algum grupo burocrático, assim como somos todos suficientemente narcisistas para deixar ao olhar dos outros o cuidado de decidir quem somos.

Enfim, psicólogo social e psicoterapeuta não têm mesmo por que brigar. O psicólogo social pode não ser psicoterapeuta; o psicoterapeuta não pode não ser, de alguma forma, psicólogo social. Pois, se ele entender e abordar seu paciente como se fosse um Robinson Crusoé, vivendo desde sempre na ilha deserta e sem nunca encontrar Sexta-feira, o terapeuta se parecerá com um físico de antes da física moderna. Sabe aqueles que achavam que os corpos caem por uma propriedade interna, porque são obstinadamente pesados? Parece que, desde então, descobriu-se que os corpos caem porque há muitos corpos de tamanhos diferentes, e eles se atraem.

Abç.

BILHETE

Você insiste: "Como psicanalista, você acredita mesmo que a infância seja a época da vida na qual se decide o essencial de um destino?".

Sim, para os psicanalistas, em geral, a neurose adulta é uma espécie de reencenação da neurose infantil. Enquanto que, para meus colegas existenciais ou gestaltistas, a infância não teria esse privilégio: as experiências da própria vida adulta podem moldar a neurose de alguém, tanto como os eventos da infância. O resultado de meu debate com eles? Continuo dando uma atenção especial à reconstituição da história da infância. Mas é uma atenção especial – não exclusiva. Também sou sensível ao argumento que segue.

Nossa cultura, desde o século XIX, idealiza loucamente a infância como época separada da vida, supostamente livre das dores da vida adulta. A infância é uma invenção do narcisismo moderno: idolatramos a criança como nossa chance de continuar existindo, ou seja, como resposta à nossa mortalidade. A criança assim idealizada promete compensar e realizar por nós, na vida dela, nossos sonhos frustrados. Por isso, certamente, nós a afastamos da obrigação do trabalho, e nos convencemos de que ela ainda não sentiria a mordida confusa do desejo sexual.

Desse ponto de vista, aliás, é possível que a gente reprima nossa sexualidade também como um jeito de voltarmos a ser nosso próprio ideal de pureza, inocência e promessa de futuro: a criança. Queremos que a vida da criança imite um paraíso sem frustração: sem sexo, sem trabalho, sem obrigações. Freud descobriu que a infância não é bem isso: ela é atravessada por desejos "impuros", "culpados" e já frustrados. Então, Freud ajudou a diminuir nossa idealização da infância, mas é bem possível que a própria ideia da extrema relevância do infantil na formação da personalidade adulta, ponto forte da psicanálise, seja uma sobra da idealização da infância na nossa cultura e mais ainda na época em que Freud inventou a psicanálise.

Em outras palavras, entender que nossa infância nos define talvez seja mais uma maneira de idealizar a infância, de confirmar o lugar de destaque excessivo que nossa cultura atribuiu às crianças (e a nos mesmos como crianças).

16. QUE MAIS?

Caro amigo,

Você me pergunta: "Que mais você gostaria de me dizer, antes que a gente se separe?".

Meu jovem amigo,

Claro, há mais mil coisas das quais gostaria de lhe falar um pouco. De qualquer forma, como lembrava Freud, a gente nunca consegue transmitir o que sabe de melhor.

Você me escreveu uma vez, acho que foi depois de minha carta sobre a formação: "Entendo que identificar-se com o analista não possa nem deva ser o que o paciente espera de uma terapia; mas me parece difícil imaginar que, ao longo do tratamento, não haja um pouco (ou mesmo muito) disso. Afinal, você repetiu várias vezes que os pacientes nos idealizam, e é bom que seja assim, é bom que eles suponham que sabemos mais do que sabemos de fato. Isso ajuda a terapia a funcionar. Mas pergunto: se nos idealizam, como eles não estariam a fim de se identificar conosco?".

Pois é, disse que identificar-se com o terapeuta não pode ser o que se espera de uma terapia. Acrescentei que entender o fim da análise como o momento de tornar-se analista é mais uma maneira de propor a identificação com o terapeuta como solução. Há, nisso, uma certa covardia terapêutica: não sei o que fazer com seus problemas, mas, igualmente, continue vindo aqui, pois, em troca, você se tornará analista como eu. O que você diria a um médico que não conseguisse curar sua pneumonia, mas, em compensação, lhe trouxesse a ficha de inscrição do vestibular de medicina? Haja paciência.

Isso dito, no decorrer da cura, há muitos momentos em que é inevitável que o paciente nos considere e nos use como modelos.

Houve uma época em que, recém-chegado ao Brasil, eu era considerado um psicanalista muito estrangeiro. Esse *trademark* (*made in France*) fazia parte de meus atributos mais facilmente idealizáveis. É curioso o número de meus pacientes que decidiram um dia fazer um doutorado ou um pós-doutorado no exterior. Concordo, são efeitos de identificação com o analista.

Enfim, você acrescenta: "Se é assim, será que o terapeuta não deveria, de alguma forma, levar em conta esses percalços da terapia e assumir a responsabilidade que implica?". Se entendo direito, você se pergunta se não deveríamos considerar que, bem ou mal, em um momento ou outro serviremos de exemplo para nossos pacientes e, portanto, aceitar a responsabilidade de quem pode servir de exemplo para muitos.

Não discordo do princípio. Só não sei se concordamos sobre qual é o exemplo que importa. Pois é claro que, por esse caminho, seria fácil chegar à ideia de que o terapeuta deve mostrar ao mundo (e a seus pacientes) uma face feita de normalidade tranquila, de bem-estar equilibrado. Em suma, o casaco que a gente veste no consultório deveria ser uma fachada que pudesse ter, para os pacientes, uma virtude terapêutica. Afinal, contemplando a segurança aparente com a qual atravessamos a vida e escolhendo-a como modelo, quem sabe os pacientes consigam apaziguar algumas de suas dores? É isso?

Pois é, não tenho nada contra um pouco de identificação. Como lhe disse, concordo em pensar que seja um mal inevitável. E concordo também que a identificação dos pacientes conosco nos impõe uma responsabilidade. Só que entendo essa responsabilidade de outro jeito.

Em longo prazo, identificar-se com uma máscara é desesperador. Pedir ao terapeuta que ele se fantasie para propor a seus pacientes um modelo "legal" significa condenar os pacientes à tristeza de uma eterna Quarta-feira de Cinzas.

Portanto, se você sente uma responsabilidade diante da tendência de seus pacientes a se identificarem com você, essa responsabilidade deveria lhe sugerir o seguinte: seja você mesmo. Ou seja, não aja para apresentar a seu paciente (e ao mundo) uma imagem que seria agradável ou mesmo presumivelmente "boa" para quem com ela se identificasse, mas aja quanto mais perto possível de seu desejo.

Você não deve se vestir, conter seus gestos, modular sua aparência ou inibir sua vida pública de forma a compor a vinheta de uma normalidade desejável. Deveria, ao contrário, comportar-se pública e privadamente como seu desejo manda. Você me pergunta por quê?

Aqui vai. Concordei com você: em alguma medida, inevitavelmente, o paciente se identifica com o terapeuta. Concordo também com a ideia de que isso implica uma responsabilidade do analista. Ora, sua responsabilidade é de viver quanto mais próximo possível de seu desejo, de forma que, se o paciente procurar um exemplo em você, será o exemplo de quem ousa se permitir o que deseja.

Uma anedota. Nos últimos tempos de minha análise, em Paris, quando já era um jovem analista, fui convidado para um baile de máscaras. O convite dizia que a fantasia era obrigatória. Claro, assim como vários jovens colegas, aceitei o convite com prazer, cogitei uma fantasia, mas, na hora do vamos ver, cheguei à festa com meu terno de flanela. Óbvio, ninguém me barrou na porta. No entanto, mais tarde, enquanto eu conversava numa roda composta de convidados sem fantasia, a dona da casa se aproximou e perguntou, irônica: "E vocês, então, cadê suas fantasias?".

Com boa presença de espírito, um amigo respondeu: "Mas estamos todos fantasiados, fantasiados de psicanalista lacaniano". A piada produziu a hilaridade geral porque dizia a exata verdade: todos, naquela roda, tínhamos preferido não nos fantasiar porque queríamos convencer o mundo (sem contar os eventuais pacientes que poderiam estar na festa) de que éramos psicanalistas.

Resultado: estávamos mesmo fantasiados de psicanalista. Se tivéssemos escolhido uma máscara de arlequim ou pierrô pelo prazer da festa, estaríamos menos fantasiados e, com isso, talvez seríamos mais psicanalistas. Mas a história não acaba aqui.

No meio da festa, eis que alguém me assinala que meu analista tinha chegado. E, de fato, Serge Leclaire estava lá, numa suntuosa fantasia de dama do século XVIII, talvez a própria marquesa de Merteuil das *Ligações perigosas*, com tudo o que tinha direito: amplo vestido rendado, leque na mão, pancake e pó quase branco, alta peruca, sinal falso e generoso decote (depilado, claro). Pois bem, não era a hora de minha sessão, mas ganhei de graça uma das melhores interpretações de minha análise.

Há uma outra pergunta sua que ficou até agora sem resposta. Você me escreveu o seguinte: "Entendi que você não defende normalidade alguma; você não quer definir uma maneira de ser que lhe pareceria mais certa do que as outras. Mas será que não há algo que, de alguma forma, mesmo sem querer, você promove em seus pacientes?".

Pensando bem, não sou tão neutro quanto disse. É verdade que nada me parece patológico, a menos que seja, direta ou indiretamente, o objeto da queixa do paciente. Mas você tem razão, há uma coisa que prezo e outra que, de uma certa forma, antagonizo e tento contrariar, mesmo que não seja objeto de queixa.

Prezo a qualidade da experiência vivida. Mas a qualidade não é uma questão de agrado ou desagrado; a qualidade da experiência é função da intensidade com a qual nos permitimos viver. O destino (digamos assim) nos serve pratos variados: alguns dolorosos, outros jocosos e festivos. O importante, para mim, não é que os dolorosos sejam evitados; o importante é que todos sejam saborosos, ou seja, que topemos saboreá-los.

É muito raro, por exemplo, que entenda o trabalho psicoterápico como uma forma de consolação que tentaria atenuar o impacto de uma lembrança ou de um evento penosos. Das várias formas possíveis de infelicidade, a que me parece mais aflitiva não é necessariamente a que mais dói. Muito mais trágico me parece o destino de quem atravessa a vida sem se molhar, como se os eventos (felizes ou nefastos) escorressem sobre a pele como água sobre as plumas de um pato.

Com seus altos e baixos, imagine nossa vida como uma breve passagem por um circuito de montanhas-russas. Quem atravessasse a experiência anestesiado, sem gritos, pavor e risos, teria jogado fora o dinheiro do bilhete. Tenho a ambição, ao contrário, de ajudar meus pacientes a viver de tal forma que, chegando o fim, eles possam dizer-se que a corrida foi boa.

Vamos ao que antagonizo, mesmo que não seja objeto de queixa do paciente. Antagonizo, em geral, os artifícios pelos quais desistimos de ser sujeitos, ou seja, as estratégias que encontramos para evitar aquelas dificuldades de viver que fazem parte do lote-padrão de nossa cultura. Sobretudo as estratégias coletivas: desconfio das instituições políticas, religiosas, burocráticas que oferecem a seus adeptos uma chance de esquivar-se das expressões básicas da subjetividade moderna, desde a incerteza moral (o que é justo? o que é errado?) até a questão sempre aberta sobre o nosso desejo (qual é o meu querer?).

Por que antagonizar essas formas de descanso da subjetividade? Fechando o círculo: porque elas diminuem a intensidade da experiência, tornam a corrida sem graça.

Enfim, você me pergunta qual seria minha última recomendação. Aqui vai: seja humilde. Não quanto aos efeitos e resultados que você espera de seu trabalho. Mas seja humilde na aceitação das condições impostas por seus pacientes.

Haverá os que não conseguem nem sentar nem deitar, mas só podem falar caminhando. Haverá os que devem ficar silenciosos durante semanas para se convencerem de que não é proibido calar-se. Haverá os que só querem vir de vez em quando porque não toleram uma obrigação em suas vidas. Haverá os que somem durante semanas a cada vez que você viaja, porque não podem se impedir de punir quem os abandonou. Haverá os que querem vir a cada dia só para sentir o cheiro de uma presença amiga. Haverá os que não falam, mas perguntam o que você acha, porque precisam ouvir sua voz, e pouco importa o que você dirá. Haverá os que se irritam porque você não os abraça, e os que não aguentam ser tocados.

Eles querem mudar, e você também, junto com eles, pode querer que eles mudem. Mas uma mudança não é coisa que possa ser imposta. Ela não virá da imposição do rigor abstrato da técnica que você aprendeu, do *setting* no qual você se formou ou da teoria com a qual você escolheu justificar suas palavras e seus atos terapêuticos. Ao contrário, para que uma mudança aconteça um dia, é preciso que uma relação comece; e uma relação só pode começar nas condições que são irrenunciáveis por seu paciente.

Em suma, avance desarmado.

Um abraço (desta vez com todas as letras).

P.S.

Claro, não vou deixar de responder o seu último bilhete.

Não, não acho que vocês estejam "chegando atrasados": a psicoterapia não vai deixar de existir antes de você se formar, nem depois. Por mais que cada orientação terapêutica preze, com razão, sua dinâmica própria e sua doutrina, toda psicoterapia é descendente de práticas que nasceram na aurora de nossa cultura e que a atravessam inteiramente.

O padrão está firme na nossa cultura há mais de dois mil anos: somos um enigma para nós mesmos e precisamos de um outro que nos escute e que nos ajude a enxergar o que não conseguimos perceber em nós mesmos – ou ouvir o que não conseguimos ouvir nas nossas próprias palavras.

As respostas mudam. As palavras de Sêneca ao amigo que é facilmente tomado pela ira são, de fato, ótimas, mas um terapeuta de hoje não apostaria nos efeitos de uma longa carta de conselhos. A "virtude da confissão" cristã é muito próxima do alívio de qualquer paciente de hoje ao falar de suas "culpas", mas o terapeuta de hoje não oferece absolvição.

Tanto faz, talvez daqui um ou dois séculos nossas respostas de hoje parecerão também ultrapassadas, mas não desaparecerá a necessidade de se abrir para um outro que se disponha a nos ouvir.

Pouco tempo atrás, participei de um debate com cientistas sobre o futuro dos robôs.

No fim, alguém me perguntou se a inteligência artificial não tornaria os terapeutas um pouco obsoletos. Por exemplo, se os humanos casarem com o robô que cada um mandou construir segundo seus desejos, que espaço sobraria para a terapia de casal? Respondi que 1) duvido que alguém conheça seus desejos suficientemente para poder conceber seu próprio parceiro ideal sem se enganar; 2) de qualquer forma, eu adoraria receber casais mistos, de humanos com androides. Acho, aliás, que não seria muito diferente do que acontece em qualquer terapia de casal de hoje. Só não sei (mas verei na hora) o que dizer quando um dos dois disser ao outro: cala a boca, você é só uma máquina.

**Acreditamos
nos livros**

Este livro foi composto em Adobe Garamond Pro e
Bliss Pro e impresso pela Lis Gráfica para a Editora
Planeta do Brasil em junho de 2025.